Sandrine Julien

Le manuscrit d'Alexandrie

Éditions du Phœnix

À Armance
et à tous ceux qui font
preuve de courage

Egypte

CHAPITRE 1

Les hiéroglyphes

Songeur, je caresse du bout des doigts les lettres couleur d'or, et en relief, sur la reliure turquoise de mon livre. Confortablement allongé sur mon lit, je revois en pensée grand-mère me l'offrir.

— Bonjour Étienne, je t'apporte une surprise, m'a-t-elle dit en me tendant un ouvrage sur l'Égypte ancienne.

— Ah, ai-je répondu, un peu dépité.

J'aurais préféré un volume sur la magie : ceux d'histoire me paraissent toujours un peu ennuyeux !

Percevant ma déception, grand-mère a ouvert la couverture rigide pour me rassurer.

— Ne fais pas cette tête ! Regarde ces superbes photos de monuments. Et celles des hiéroglyphes ! Ouvre-le ! On explique même comment les déchiffrer, a-t-elle déclaré en feuilletant plus loin.

Ah... les hiéroglyphes ! Dès que j'ai posé mes yeux sur ces symboles, ils ont, pour je ne sais quelle raison, éveillé ma curiosité. Je les trouve tout simplement magnifiques et si fascinants !

Depuis, je soupire devant les images en me demandant si, un jour, j'aurai l'occasion de contempler en personne ces chefs-d'œuvre d'un autre temps. Combien de fois me suis-je imaginé à dos de chameau, admirant les pyramides ou à bord d'une felouque* voguant sur le Nil, ce fleuve si long et si calme ! Je rêve de visiter ce pays où les pharaons ont bâti de majestueux temples et fondé une civilisation sans pareil. Et apparemment, quelqu'un dans mon entourage a été piqué par ce même désir ; mon oncle Max veut à tout prix s'y rendre lui aussi, mais pour une tout autre raison. Sa motivation relève du domaine sentimental ; il a décidé d'y aller pour épouser sa fiancée égyptienne. Modernité oblige, il l'a rencontrée dans Internet. Il a finalement réussi à convaincre papa, maman et grand-mère de l'accompagner

* Bateau à voile égyptien

en Égypte, à Noël, pour les noces. Quant à moi, j'étais évidemment déjà partant !

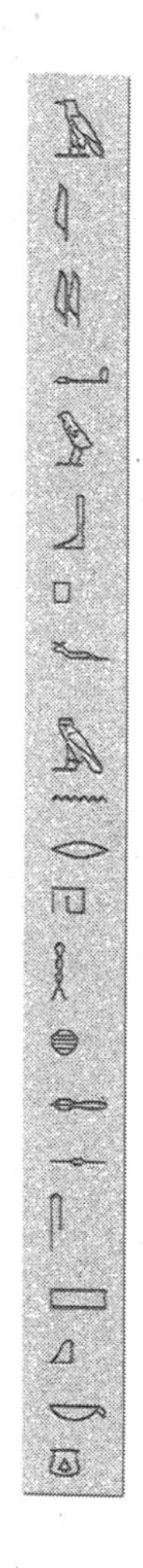

CHAPITRE 2

Vive les vacances !

À la récréation, le nez emmitouflé dans son cache-cou, Charles nous aperçoit au loin. Il attend que nous soyons près de lui pour nous demander :

— Alors, avez-vous hâte aux vacances ?

— Tu parles, répond Marc. Je vais passer mon temps à vendre des bûches de Noël !

Effectivement, pour les parents de mon ami, propriétaires de la boulangerie-pâtisserie chez Léon, c'est le moment de l'année le plus occupé. Marc se verra forcé de leur donner un coup de main.

— Tu me fais saliver, s'exclame Élisabeth. Du chocolat, miam !

— Bah ! Après tout, je vais quand même jouir de certains avantages : j'aurai droit à quelques bons restes ! lance Marc, le grand gourmand.

— Et toi ? me demande Élisabeth.

— C'est confirmé, nous partons pour l'Égypte ! J'ai du mal à tenir en place. Vous rendez-vous compte ? J'en rêve depuis si longtemps ! À moi, les hiéroglyphes, les pharaons, les pyramides...

— Oui, oui, nous savons tout ça, déclare Élisabeth en m'interrompant. Mais de quoi la fiancée de ton oncle a-t-elle l'air ? Quel est son nom, déjà ?

— Carole.

— Ce prénom n'est pas typiquement égyptien, remarque Charles.

— Tu as raison. Ses origines chrétiennes expliquent sans doute ce choix. D'après Max, les premiers chrétiens vivaient au Moyen-Orient et certains y habitent encore, comme la famille de Carole. Il m'a aussi expliqué que cette communauté comprend différents groupes : les Coptes, les Grecs catholiques, les Grecs orthodoxes... Enfin, je t'épargne les détails, les différences entre eux sont à mes yeux peu importantes.

— Oui, mais la fiancée, est-elle jolie ? demande Élisabeth avec insistance.

— Difficile de juger, j'ai vu une seule photo d'elle. Je peux juste te dire qu'elle a de longs cheveux noirs ondulés et des yeux verts.

— De toute façon, ton oncle commence à prendre de l'âge, ajoute Charles en plaisantant. Impossible pour lui de faire la fine bouche.

— Arrête tes bêtises ! lance Élisabeth. Il a dû avoir le coup de foudre pour décider de l'épouser aussi rapidement, ajoute l'éternelle romantique.

— À moins qu'il ait peur que son amoureuse change d'avis !

— Ça suffit, lance Marc en donnant un coup de coude à l'impertinent. J'espère que tu auras l'occasion de manger les pâtisseries de ce pays, enchaîne-t-il en m'adressant un regard pétillant. Moi, j'en ai goûté quelques-unes dans un restaurant libanais, et elles étaient délicieuses !

— Sans doute. Mais je m'intéresse avant tout à la découverte des monuments.

— Et que visiterez-vous ? me demande Charles.

— Les pyramides, près du Caire, c'est certain. Mais nous les verrons plus tard au cours du séjour. Nous devons d'abord nous rendre chez la famille de Carole, à Alexandrie.

— *Alexandrie, Alexandra !* chante Charles. *Ce soir je danse, je danse, je danse dans tes bras*, dit-il, moqueur, en tournant autour d'Élisabeth.

— Mais enfin, qu'est-ce qui te prend ? s'exclame-t-elle, un peu agacée.

— Vous ne connaissez pas cette célèbre chanson française ? Mes parents l'ont tellement écoutée ! C'est la première chose qui me vient à l'esprit lorsque j'entends le nom *Alexandrie*.

— C'est tout ce que tu connais de cette ville ? marmonne Élisabeth.

— Parce que toi tu en sais davantage ? réplique du tac au tac le chanteur amateur.

— Oui, elle se trouve sur la mer, la mer...

— Méditerranée, dit Marc. Vas-tu t'y baigner ? me demande-t-il.

— L’eau sera sans doute trop froide à cette période-ci de l’année. Mais la température relativement douce nous permettra quand même de découvrir certains endroits sans souffrir de la canicule. J’ai fait ma petite recherche dans Internet et j’aimerais bien visiter l’amphithéâtre gréco-romain et les catacombes de Kom el-Shuqafa.

— Les quoi ? s’exclame Marc.

— Les tombes souterraines. Elles ont été découvertes, paraît-il, par hasard, lorsque le sol s’est effondré sous le poids d’un âne. Il a fait une chute de plus de dix mètres. Je me demande si l’animal a survécu... Bref, je suppose aussi que nous nous rendrons à la bibliothèque.

— Ah, très drôle ! Tu vas emprunter des livres en arabe ? dit Charles, l’humeur moqueuse.

— Mais non, la fiancée de mon oncle y travaille. Apparemment, cette bibliothèque diffère des autres. Elle possède de très anciens manuscrits. Il y a aussi des salles d’exposition, un planétarium et un musée archéologique.

— En tout cas, j'espère qu'à ton retour, tu nous décriras en détail tout ce que tu auras vu ! s'exclame Élisabeth.

— Oui, bien sûr.

Mes pensées me conduisent déjà très loin de la cour de récréation. Je me vois cette fois-ci sur le dos d'un âne, parcourant les rues d'Alexandrie.

CHAPITRE 3

Une arrivée décevante

Lorsque s'ouvrent les portes vitrées de l'aéroport d'Alexandrie, un air doux vient me chatouiller le visage. La température s'avère cependant un peu moins chaude que ce que j'avais imaginé. Mais c'est l'hiver, après tout...

— Aperçois-tu Carole ? demande maman à Max.

— Pas encore, mais elle m'a averti que nous aurions peut-être à l'attendre. Circuler ici relève de la prouesse, paraît-il !

— Si elle pouvait se dépêcher... Ce voyage m'a fatiguée, soupire grand-mère en s'asseyant sur sa valise.

Patients, nous observons les allées et venues des citadins. Je romps soudain le silence :

— Max, es-tu certain de bien connaître ta fiancée avec qui tu communiques dans Internet ? Parfois...

— Mais oui, Étienne. Tu ne vas pas t'y mettre toi aussi ! Je l'ai déjà répété cinquante fois à ta grand-mère. Je sais à qui j'ai affaire ; nous nous parlons grâce à une caméra web branchée à l'ordinateur.

— Et il s'agit sans aucun doute d'une fille ?

— Évidemment, réplique mon oncle, légèrement agacé.

— Et si cette personne que tu as l'habitude de voir portait un déguisement ?

— Tu as vraiment une imagination débordante ! lance Max, dont les yeux commencent à trahir le découragement.

Malgré tout, je me vois forcé d'attirer son attention sur la cause de mon inquiétude.

— Alors, pourquoi ton nom figure-t-il sur la pancarte tenue par cet homme, là-bas ?

— Comment ?

Je sens tout de suite la déception de mon oncle. En fait, je lis tout simplement dans ses pensées, grâce à mon don unique. Et puisque mes dernières aventures* m'ont aidé à comprendre comment m'en servir, j'ai la ferme intention de mettre à profit mon pouvoir, même en terre étrangère ! Je tire le frère de ma mère par la manche : « Viens, demande à ce monsieur de se présenter », lui dis-je.

Nous laissons nos proches pour nous diriger vers l'inconnu, vêtu d'un costume rayé.

— Bonjour, dit mon oncle, une fois à côté du petit homme. Mon nom figure sur votre pancarte. Faites-vous partie de la famille de Carole ?

— Pas exactement. Je suis son chauffeur, répond-il, très digne. J'ai été envoyé pour

---

* Lire *Le voleur de pensées*, Éditions du Phœnix, 2008

vous conduire chez sa mère. Pourriez-vous m'indiquer où se trouvent vos bagages ?

— Oui, bien entendu, suivez-moi.

L'absence de Carole m'étonne, pense Max, *elle m'avait pourtant juré qu'elle viendrait. Respirer, rester calme...Voilà nos promesses mutuelles. Mais va-t-elle les tenir ? À moins que je doive y voir le signe d'un manque d'intérêt de sa part ?*

Même si la panique commence à le gagner, mon oncle s'efforce de garder le sourire lorsque nous rejoignons grand-mère et mes parents. Il est hors de question de montrer son inquiétude et son mécontentement. Inutile de créer des tensions entre sa famille et celle de Carole avant le mariage ! Les valises récupérées, le chauffeur nous mène devant une superbe limousine. Il nous en ouvre la porte.

— Excellent ! s'écrie papa, aussi enthousiasmé que moi à l'idée de s'asseoir pour la première fois dans un véhicule d'une pareille taille.

Je passe le premier.

— Quand je raconterai ça à Charles et à...

Je m'arrête net. Un garçon qui semble avoir mon âge se tient assis sur un des sièges, un téléphone cellulaire à la main. Je me demande un instant si le chauffeur nous a dirigés vers la mauvaise limousine.

— Je m'appelle Farid, dit le garçon, ou Freddy pour les intimes.

Méfiant, je refuse d'accepter sa poignée de main. Je m'assois plutôt dans un coin pour laisser monter le reste de ma tribu à bord.

— À qui ai-je l'honneur ? demande Max, un peu surpris.

— Au jeune frère de Carole. Bienvenue à Alexandrie.

Incroyable ! Ma fiancée envoie un gamin pour m'accueillir ! pense mon oncle, énervé. *Aurait-elle oublié toutes ces heures passées à parler de nos sentiments ? Je pensais être plus important à ses yeux qu'un vulgaire colis que l'on fait ramasser par un enfant.*

Assez ! Je décide d'arrêter de lire dans ses pensées ; ses sentiments amoureux m'intéressent peu. D'ailleurs, ça commence même à devenir gênant. Je tente de me concentrer sur la conversation polie qu'engage Farid.

— Avez-vous fait bon voyage ?

— Oui, merci, répond aimablement maman.

— Voyez-vous un inconvénient à ce que nous vous conduisions directement chez nous ? Ma très chère mère souhaite vous rencontrer.

Mais pour qui ce garçon se prend-il ? D'où sort-il ce langage raffiné, tiré d'un autre siècle ? Sa façon de jouer à l'adulte de la haute société commence à m'irriter au plus haut point... Je tente donc de trouver une excuse pour lui fausser compagnie.

— Je préférerais m'arrêter à l'hôtel, prendre une douche.

Max roule de gros yeux dans ma direction et répond :

— Non, nous aussi nous avons hâte de rencontrer toute votre famille. Nous descendrons à l'hôtel plus tard.

— Très bien. Allons-y.

CHAPITRE 4

Chez madame Violette

Nous voilà enfin arrivés devant un immeuble d'architecture ancienne, mais plutôt élégante. Le chemin m'a paru long, même si Farid a joué à l'hôte parfait en nous décrivant certains lieux de la ville à visiter. Parmi les noms compliqués, j'ai seulement retenu celui d'une ancienne résidence royale, le palais Ras el-Tin (Cap aux figues), à cause de sa drôle de signification. Autre curiosité, cet ascenseur que nous empruntons. Plutôt vieillot, il se referme avec une grille. Je prie pour qu'il nous mène à destination sans que nous restions coincés entre deux étages.

— Bienvenue, mesdames, messieurs, s'exclame la dame qui nous accueille sur le pas de la porte. Entrez !

— Bonjour, balbutie mon oncle, un peu nerveux. Vous êtes madame Violette, la maman de Carole, je suppose ?

— Oui, en effet. Et vous devez être le fameux Max !

L'ironie dans la voix de cette dame contraste avec son sourire faussement aimable. Elle nous conduit dans un salon richement décoré, où un domestique nous sert des rafraîchissements. La fatigue et le dépaysement ont eu raison de notre envie de parler : on entendrait une mouche voler. Mon oncle trouve cependant le courage d'entamer la conversation.

— Nous sommes absolument enchantés de faire votre connaissance et celle de votre jeune fils, mais je me demande si ma famille aura bientôt l'occasion de rencontrer votre fille...

— Oui, bien entendu...

— Bientôt, je suppose.

— Certainement...

— Peut-être même ne tardera-t-elle pas à venir ? hasarde le fiancé plein d'espoir.

— C'est-à-dire que... balbutie notre hôte, gênée. Vous savez, Carole agit selon son bon vouloir. Elle m'avait dit qu'elle irait vous chercher à l'aéroport, mais comme je n'arrivais pas à la joindre sur son cellulaire, j'ai décidé d'envoyer Freddy à sa place.

Madame Violette se tourne vers grand-mère.

— Vous comprendrez sûrement, madame, mon incompréhension des jeunes d'aujourd'hui, dit-elle en soupirant. Ils demeurent si imprévisibles ! Tenez, prenez cette affaire de mariage. Carole devait épouser un monsieur très respecté, ici, à Alexandrie, puis voilà qu'elle rencontre un inconnu dans Internet et change d'avis.

— Vous savez, les sentiments ne se commandent pas, réplique grand-mère avec l'intention d'arranger les choses.

— Sans doute. Mais sans vouloir vous offenser, dit notre hôte en s'adressant à Max, vous comprendrez mon inquiétude. Je veux m'assurer que ma fille sera heureuse. Elle ne doit manquer de rien. J'espère que son choix est éclairé.

— Soyez sans crainte, elle a bien réfléchi avant de prendre sa décision, répond mon oncle, un peu irrité.

— Certes, mais supportera-t-elle le climat et l'éloignement ?

— Nous en avons discuté et...

— Maman ! interrompt Farid. Un appel pour toi.

Entré en coup de vent dans la pièce, il lui tend le téléphone.

— Je rappellerai, je suis occupée.

— Ali, le directeur de la bibliothèque d'Alexandrie, veut te parler. Il s'agit d'une urgence.

— Passe-le-moi, alors. Oui, bonjour...

Pauvre Max, il éprouvait tellement de joie à l'idée de connaître la famille de Carole et de passer un peu de temps avec sa fiancée ! L'absence de cette dernière et les réticences de sa future belle-mère lui font sans doute l'effet d'une douche froide. À ce sujet, j'ai vraiment envie de me laver... Un *comment* retentissant me tire de mes rêveries.

— Comment ? répète madame Violette, atterrée. Mais enfin, elle doit bien se trouver quelque part ! Je comprends... Merci de m'avoir prévenue. Au revoir.

Madame Violette raccroche. Son teint commence à s'accorder à merveille avec son nom.

— Désolée, Max, mais les appels sur le téléphone cellulaire de Carole restent sans réponse et Ali, son patron, affirme qu'elle demeure introuvable. Il semble inquiet. Je me demande vraiment ce qui se passe !

— Ne vous en faites pas, dit mon oncle pour la rassurer, même s'il se questionne, lui-même en proie à une profonde anxiété.

Et si, après tout, Violette tentait d'empêcher le mariage ? se demande Max. *Elle a l'air tellement contre. Pourtant, je doute qu'elle aille jusqu'à mettre en scène une pareille situation...*

— Il doit bien y avoir une explication, s'exclame papa en voyant son beau-frère marcher de long en large sur le magnifique tapis persan du salon.

— Écoutez, déclare le fiancé après avoir réfléchi. Je propose de me rendre à la bibliothèque afin d'obtenir des éclaircissements de ce monsieur Ali sur l'emploi du temps de Carole. Peut-être nous en apprendra-t-il davantage sur l'endroit où elle pourrait se trouver ?

— Excellente idée ! répond madame Violette avec un regain d'enthousiasme.

Allez-y avec mon chauffeur. Freddy va vous accompagner lui aussi ; il peut vous être utile.

— Bien, alors partons sans perdre de temps.

— Je viens moi aussi.

— Je croyais que tu voulais te doucher, Étienne ? demande maman pour se moquer un peu de moi. Et puis, tu dois être fatigué !

— Laisse-le y aller ! lance Madeleine. Il rêve de voir la bibliothèque depuis si longtemps ! Blâme-moi si tu veux, mais depuis que je lui ai offert le livre sur les hiéroglyphes égyptiens, c'est devenu une véritable obsession.

En réalité, grand-mère et moi partageons la même idée : s'il y a quelqu'un capable d'aider mon oncle, c'est bien moi. Mamie fait partie des rares personnes, mis à part mes amis, à connaître mon don. Lire dans les pensées pourrait s'avérer utile lorsque nous rencontrerons monsieur Ali.

— Sans trop vouloir vous déranger, déclare papa, votre chauffeur pourrait-il d'abord déposer ma femme, ma mère et moi au Windsor Palace ? Nous y laisserions les bagages, qui sont toujours dans la malle arrière de la limousine.

— Excellente idée ! L'hôtel se trouve près de la bibliothèque, explique madame Violette. Quand vous serez rafraîchis, revenez ici en taxi ou à pied, si vous voulez vous dégourdir un peu les jambes. Je vous ferai servir un repas en attendant des nouvelles de Max ; vous aurez certainement faim.

La discussion prend fin sur cet arrangement. Pour la douche, il me faudra attendre.

CHAPITRE 5

La *Bibliotheca Alexandrina*

La bibliothèque, construite sur le bord de la mer, ressemble à un cadran solaire, tout de verre et d'aluminium, sur lequel la lumière éclatante du soleil se réfléchit. Lorsque nous y pénétrons, la grandeur du lieu m'émerveille. D'immenses colonnes, rappelant étrangement des papyrus géants, dominent la salle de lecture sur plusieurs étages. Nous nous dirigeons vers l'accueil pour demander à rencontrer monsieur Ali. En l'attendant, j'en profite pour observer les gens. Certains parcourent un livre du regard, tandis que d'autres sont installés devant un ordinateur. Le directeur de la bibliothèque vient enfin nous trouver. Après nous avoir chaleureusement serré la main, cet homme de taille moyenne nous conduit, d'un pas étonnamment leste, jusqu'à son bureau. Il ferme la porte et nous met tout de suite à l'aise.

— Asseyez-vous, je vous en prie.

— Merci, dit Max. Nous sommes heureux que vous nous receviez aussi promptement. Nous souhaitions vous rencontrer afin d'obtenir quelques informations utiles pour retrouver Carole. Vous êtes sûrement au courant de son emploi du temps. Nous avons besoin de votre aide.

— L'histoire de cette bibliothèque vous est sans doute inconnue, lance le directeur. À l'exception de Freddy, bien entendu.

— J'avoue mon ignorance, répond mon oncle, mais...

— Je sais, je sais, il ne s'agit pas d'une simple visite de courtoisie, mais permettez-moi d'abord de commencer par un petit résumé historique. Ces nouvelles informations pourraient orienter vos recherches. J'ai des raisons de croire que le silence de votre amie a un lien avec ses activités à la bibliothèque. Son occupation revêt un grand intérêt pour de nombreuses personnes. Il est donc important que vous en sachiez un peu plus sur son milieu de travail.

— Nous vous écoutons, fais-je, impatient.

Inviter ce monsieur à parler me permettra de lire dans ses pensées et de découvrir s'il a quelque chose à voir avec la mystérieuse disparition de Carole. Jusqu'à présent, je peux difficilement me prononcer.

— Le bâtiment où nous nous trouvons, nous apprend le directeur, a été construit en 2002 pour remplacer la bibliothèque originale. Il s'agissait d'un lieu unique dans l'Antiquité. Elle représentait un centre de connaissances autour duquel tous les penseurs et savants gravitaient, car elle s'était enrichie, au fil du temps, de nombreux manuscrits. D'une bien curieuse façon d'ailleurs... En effet, chaque ouvrage qui arrivait au port d'Alexandrie se voyait confisqué et recopié. Puis, la bibliothèque conservait l'original et remettait une copie au propriétaire ! Malheureusement, cet endroit de savoir exceptionnel a été détruit par le feu...

J'interromps le récit du directeur :

— Très intéressant, mais...

— J'y viens, jeune homme. En réalité,

tout part de là. Le mystère de la destruction de la bibliothèque demeure entier, encore aujourd'hui. Plusieurs hypothèses existent et les spécialistes qui, au cours des siècles, ont tenté de déterminer les causes de ce désastre ont tous échoué. Carole travaille à la section de restauration du Centre des manuscrits depuis plusieurs années, et elle a lu des passages d'un ouvrage ancien qui permettraient d'élucider la question.

— J'ignore tout à ce sujet, déclare Farid, un peu surpris. D'habitude, ma sœur aime me mettre au courant de ses découvertes !

— Elle a sans doute pensé qu'il valait mieux, cette fois, te tenir à l'écart de tout ça. Vois-tu, si elle a réellement établi l'identité du responsable de la destruction de la bibliothèque, elle détient la clé d'un mystère d'une valeur historique inestimable. Elle s'expose par conséquent à un danger certain ! D'ailleurs, elle a reçu des menaces. Effrayée à l'idée d'être victime d'un enlèvement et redoutant un cambriolage de la bibliothèque, elle m'a donc demandé l'autorisation de mettre le manuscrit en lieu sûr.

— Avez-vous pensé à assurer sa protection ? s'enquiert Max, un brin énervé par la possible négligence de l'employeur.

— À vrai dire, au départ, j'ai cru que votre fiancée était dotée d'une imagination trop fertile, répond le directeur, gêné. Toutefois, en raison de son insistance, j'ai accepté qu'elle cache le manuscrit et lui ai même promis de mettre un agent de sécurité à sa disposition. Malheureusement, le temps nous a manqué. Elle est partie avec l'ouvrage et je ne l'ai pas revue depuis.

— Pensez-vous qu'il s'agisse d'un enlèvement ? articule mon oncle, d'une voix étranglée.

— Ma foi, il faut se rendre à l'évidence. Tout comme sa famille, je demeure sans nouvelles de mon employée. En plus, elle m'avait donné un rendez-vous, mais elle ne s'y est pas présentée. Cela ne lui ressemble pas.

— Alors, qu'est-ce qui vous retient de prévenir la police ? que je demande, un peu suspicieux.

— En principe, le règlement interdit aux employés de sortir un manuscrit hors de la bibliothèque. Si j'avoue avoir donné mon autorisation, je pourrais m'attirer de graves ennuis.

Décidément, mon incapacité à lire dans les pensées de monsieur Ali, alors que j'en aurais le plus grand besoin, me trouble de plus en plus. Que se passe-t-il ? Je me trouve effectivement dans un pays étranger, et même si le directeur s'exprime dans un français impeccable, il pense tout de même dans sa langue maternelle : l'arabe. Et là, j'avoue mon impuissance !

— Oui, mais avez-vous pensé à Carole ? lance Farid, indigné.

— Gardons notre calme, suggère mon oncle, pourtant saisi d'un tremblement. Prévenir la police pourrait mettre la vie de ta sœur en danger.

— Oui, mais allons-nous rester les bras croisés ? demande Farid, impatient de retrouver son aînée.

— Attendons un peu, propose Ali. Monsieur Max pourrait mener sa propre enquête et retrouver Carole. J'aimerais bien y participer, mais j'ai intérêt à

demeurer à mon poste pour ne pas éveiller les soupçons.

Curieuse attitude, tout de même ! Autant dire *débrouillez-vous* !

— Soyez sans crainte, je ferai tout mon possible pour élucider la disparition de ma fiancée, affirme mon oncle au directeur de la bibliothèque. Il en va de sa vie !

Quel vaillant chevalier ! Le voici prêt à partir à la rescousse de sa dulcinée. On se croirait sortis tout droit d'un livre du Moyen Âge. Ma parole, si Carole l'entendait parler ainsi, elle s'évanouirait ! Son fiancé montre sans aucun doute un courage très louable, mais que peut accomplir un homme fou d'angoisse, dans un pays étranger dont il ignore la langue ?

— Vous pouvez compter sur moi, Max, assure Farid. Je vous conduirai où vous voudrez. Je connais la ville comme le fond de ma poche.

Celui-là, alors ! Je parie que lorsqu'il deviendra grand, il sera guide. Dans la limousine, il a étalé tout son savoir au sujet des lieux à visiter à Alexandrie.

— Merci Farid. Mais il faudrait avoir une piste pour commencer notre enquête, souligne le détective amateur. Monsieur Ali, essayez de réfléchir. Qui tirerait profit de percer le secret de la destruction de la bibliothèque ?

— J'ai en tête une longue liste de personnes, mais je me demande cependant qui serait assez audacieux pour organiser un enlèvement.

— Réfléchissez bien, insiste mon oncle.

— Il y a bien ce monsieur, Camel... Camel comment, déjà... Attendez.

Le directeur sort une carte de visite du tiroir de son bureau.

— Oui, voilà, dit-il en la lisant. Camel Al Mansour, 555, rue Al-Nabi Daniel.

— De qui s'agit-il ?

— D'un égyptologue. Il travaille dans différents sites archéologiques de la ville. Il m'a rendu visite à mon bureau il y a quelque temps. Il s'est plaint du travail long et ingrat que nécessitent les fouilles, et m'a avoué son ras-le-bol. Il en a assez de travailler pour des archéologues renommés qui retirent tous les honneurs grâce à la besogne de leurs collègues. Il espère faire une découverte qui le rendra enfin riche et célèbre. J'ignore comment, mais il a entendu des rumeurs à propos du manuscrit. Bien évidemment, je lui ai dit qu'il m'était impossible de lui révéler quoi que ce soit.

— À votre avis, serait-il capable d'enlever Carole pour être le premier à percer le secret de l'incendie de la bibliothèque ? demande mon oncle, de plus en plus anxieux.

— Jusqu'où irait ce monsieur, poussé par le désespoir et l'ambition ? Nul ne le sait ! Le mieux serait de l'interroger pour en juger.

J'essaie encore de lire dans les pensées du directeur de la bibliothèque, mais j'échoue de nouveau. Il m'apparaît évident que nous n'en tirerons rien de plus. Je me lève.

— Merci de vos précieux conseils et de vos explications, monsieur Ali, dis-je pour clore l'entretien.

— Oui, merci, articule Max. Nous vous tiendrons au courant du déroulement de l'affaire.

— Bonne chance, messieurs.

CHAPITRE 6

Un mystérieux message

À notre retour, nous retrouvons madame Violette, assise à table, en compagnie de mes parents et de grand-mère.

— Vous devez mourir de faim ! Servez-vous un peu de *moloheya*, dit-elle en nous invitant à nous asseoir.

L'aspect de cette soupe gluante, préparée avec une plante similaire aux épinards, m'inspire une certaine méfiance. Pourtant, Farid se précipite dessus. Quant à Max, il n'ose pas refuser.

— Merci, j'ai effectivement un petit creux.

— Avez-vous de bonnes nouvelles ? demande la maman de Carole.

— Monsieur Ali nous a mis sur une piste...

Pendant que mon oncle se perd en explications, j'esquisse une moue à l'intention de grand-mère pour l'informer de mes démarches infructueuses à la bibliothèque.

— Mais qu'allons-nous faire, mon cher Max ?

Mon cher Max ! Depuis la disparition de sa fille, madame Violette semble davantage apprécier mon oncle. Sans doute se rend-elle compte de sa capacité à prendre les choses en main, mais aussi de son inquiétude sincère à l'égard de sa fiancée. Lui, un étranger.

— Nous allons appeler monsieur Camel, l'égyptologue, répond mon oncle. Je fixerai un rendez-vous avec lui pour voir ce que je peux en tirer.

— Nous pourrions aussi communiquer avec les hôpitaux, bredouille grand-mère. Je me refuse à imaginer le pire, mais Carole a peut-être eu un accident...

Sur ces mots, la sonnette de la porte retentit. Quelques minutes plus tard, Farid rentre dans la salle à manger.

— Nous pouvons définitivement écarter ton hypothèse, maman. Quelqu'un a glissé cette feuille sous la porte, dit-il en lui tendant un bout de papier froissé.

— Nous avons la fille, trouvez-nous le manuscrit, lit madame Violette à voix haute tout en tremblotant.

— Ce message confirme que Carole a été kidnappée, déclare papa.

— Ma pauvre enfant ! gémit la mère désespérée en cachant son visage de ses deux mains.

— Restons optimistes, lance Max pour la rassurer ; au moins, elle vit encore.

Sa future belle-mère relève la tête, une lueur d'espoir dans les yeux.

— Je suis convaincu que seul le manuscrit intéresse le ou les ravisseurs, poursuit mon oncle. Lorsqu'il sera en leur possession, ils relâcheront certainement Carole. Il nous reste juste à retrouver l'ouvrage.

— Autant chercher une aiguille dans une botte de foin ! marmonne Farid. Cherchons plutôt les coupables.

5:30

CHAPITRE 7

Le capteur de rêves

Il est six heures trente : je me réveille en sueur, après avoir rêvé. Dans la chambre d'hôtel, tout le monde dort encore. Sans doute se sont-ils couchés tard hier soir. Incapable de joindre monsieur Camel au téléphone, mon oncle lui a laissé un message. J'ignore si l'homme l'a finalement rappelé. Je me suis endormi bien avant eux...

Je dois à tout prix sortir grand-mère de son profond sommeil ; elle seule est en mesure de m'expliquer mes songes. Je secoue doucement son épaule.

— Grand-mère, réveille-toi !

— Hum...

— Je dois te parler.

— Oui, que veux-tu, Étienne ?

— J'ai encore fait un drôle de rêve.

Elle s'assoit lentement dans son lit.

— Ça peut sûrement attendre !

— Non, sinon je vais l'oublier.

Elle se frotte les yeux.

— Bon, raconte-le-moi.

— Je traverse le désert à dos d'âne. Complètement perdu dans cet enfer de sable, je commence à sincèrement regretter mon séjour en Égypte. La pauvre bête aussi assoiffée que moi peine à avancer. Je me résous à marcher à ses côtés. Convaincu que je resterai à jamais prisonnier de cet endroit désolé, je suis sur le point de perdre tout espoir quand soudain, j'aperçois au loin une oasis. Arrivé près du puits, trop faible pour me servir moi-même de l'eau, je demande à un vieux monsieur assis tout près de m'en donner. Ce vieillard ne parle pas français. Je tente, en vain, de lire dans ses pensées, sans y parvenir. Mon don reste inutilisable dans cette immensité où la seule âme qui vive s'exprime dans une autre langue que la mienne. Étourdi, je ferme un instant les yeux, puis je les rouvre pour m'apercevoir que l'oasis a disparu. Il s'agissait d'un mirage ! Je poursuis ma route, puis découvre une autre palmeraie. « Une autre illusion ! » me dis-je. Pourtant, Farid se trouve là ; il me tend une outre en peau remplie d'eau. Je la refuse, craignant d'être amèrement déçu de nouveau s'il se volatilise à son tour. Devant son insistance, je finis par accepter le récipient, car la soif devient insupportable. Il me sourit. L'eau coule dans ma gorge, mais j'éprouve une sensation de brûlure intense... Et là, je me suis réveillé en sursaut.

— Laisse-moi réfléchir un peu, déclare grand-mère. Hum... Peut-être que...

— Peut-être que quoi ?

— Dis-moi, hier soir, à table, tu m'as fait une drôle de moue, mais je n'ai pas compris si tu avais réussi à lire les pensées de monsieur Ali.

— J'en ai été incapable. D'ailleurs, je voulais t'en parler. La situation me trouble. J'ai peur d'avoir perdu mon don. Un jour, tu m'as dit que ça pourrait arriver si j'agissais mal ou si je vieillissais.

— As-tu quelque chose à te reprocher ?

— Pas vraiment.

— Tu n'as pas de cheveux blancs non plus ? demande grand-mère, le sourire aux lèvres.

— Non, mais alors ?

— En ce moment, tu te trouves dans un pays étranger. La situation diffère. Tout comme le vieillard dans ton rêve qui ne parle pas ta langue, toi, tu ne parles pas l'arabe. Difficile, dans ce cas, de lire dans les pensées.

— Mon pouvoir s'avère donc inutile en Égypte ?

— Pas forcément. Freddy te porte secours. Il te donne de l'eau.

— Ah, lui...

— Quelque chose te déplaît chez ce garçon ?

— Il m'agace.

— Souviens-toi, tu dois aller au-delà des apparences.

— Facile à dire ; surtout si mon don s'avère inefficace.

— Je sais, mais ton rêve indique que ce garçon peut t'aider. Alors, tu dois garder ton esprit ouvert pour découvrir comment.

— Et la sensation de brûlure dans ma gorge ? Qu'est-ce que cela peut bien signifier ? C'était tellement désagréable !

— L'irritation au passage de l'eau indique que tu risques d'éprouver de la difficulté à avoir l'ouverture d'esprit qui te permettra de retrouver ton don.

— Grand-mère, tes déductions m'impressionnent toujours !

— J'ai bien peu de mérite, cela me vient de manière naturelle.

— À propos, tu m'as toujours caché comment tu avais acquis la faculté d'interpréter les rêves.

— Eh bien, voilà : un jour, j'ai acheté un capteur de rêves d'une dame. Elle m'a raconté une légende amérindienne, l'histoire d'une vieille grand-mère aveugle qui sauve la vie d'une araignée, que son petit-fils veut écraser. L'arachnide, reconnaissant, assure alors à cette femme qu'elle veillera à jamais sur son esprit durant son sommeil. Le capteur de rêves ressemble à une toile d'araignée et servirait, d'après la vendeuse, à filtrer les rêves ; les bons passent au travers et les mauvais restent pris dans le filet pour être ensuite brûlés par les premiers rayons du soleil. Au départ, j'ai trouvé cette histoire charmante, sans trop y croire, jusqu'à ce que je commence à rêver plus que d'habitude. Les propos de ma mère, elle-même d'origine amérindienne, ont alors refait surface. Dans cette communauté, les rêves véhiculaient des messages nécessaires à la survie de leurs membres et influençaient leur quotidien. Petit à petit, j'ai constaté que non seulement j'étais apte à distinguer les bons songes des mauvais, mais aussi j'arrivais à en comprendre le sens.

— Cette capacité est un cadeau du ciel ; sans toi, mes rêves demeureraient un mystère !

— Je ne serai pas toujours là, Étienne. Plus tard, il te faudra être capable d'interpréter tes songes tout seul. Un jour, peut-être, je te ferai cadeau de mon capteur de rêves.

Je retourne me coucher, heureux et soulagé de ne pas avoir perdu mon don à tout jamais.

CHAPITRE 8

Chez Délices

Camel al Mansour prend délicatement son croissant et l'admire, un peu comme s'il venait de découvrir un artefact au cours d'une de ses nombreuses fouilles. Je regarde tout autour de moi, puis je braque de nouveau mes yeux sur ce drôle de personnage, coiffé d'un chapeau à la Indiana Jones. Finalement, il ne détonne pas trop dans le décor de Chez Délices. Cet immense salon de thé est à son image : un peu vieillissant et d'une autre époque. Farid et moi dégustons un jus de mangue et, à la vue des gâteaux, j'ai une petite pensée pour Marc. Quant à Max, impatient, il presse l'archéologue de multiples questions.

— Êtes-vous certain de ne pas connaître Carole ? Vous ne l'avez jamais rencontrée ?

— Non, je vous l'ai déjà dit. Vous me montrez la photo d'une parfaite inconnue.

Je me serais souvenu de son visage car, soit dit en passant, elle me semble tout à fait charmante ! déclare-t-il, le sourire aux lèvres, en regardant la photo de plus près.

Le visage de mon oncle se rembrunit sous le coup de la remarque déplacée de l'archéologue.

Je m'empresse d'intervenir pour éviter une dispute entre les deux hommes.

— Nous avons cru comprendre que vous vous intéressiez à un certain manuscrit de la bibliothèque d'Alexandrie qui, selon certaines rumeurs, lèverait le voile sur le mystère de son incendie.

— Exact, mon jeune ami. J'en ai assez de m'éreinter sur les chantiers de fouille. À mon âge, j'arrive à un tournant décisif sur le plan de ma carrière. Je dois faire une découverte de taille si je veux obtenir un poste important au Conseil suprême des Antiquités égyptiennes. Cet accomplissement m'assurerait la célébrité et mettrait fin à mes soucis financiers.

— Autrement dit, vous seriez prêt à tout ! s'exclame Max, en proie à la colère.

Peut-être même à commettre un enlèvement pour arriver à vos fins ? Vous avez séquestré Carole, avouez-le !

Mon oncle y va fort ! Camel al Mansour se redresse sur sa chaise dans un mouvement de recul. L'homme regarde son interlocuteur droit dans les yeux, puis répond d'une voix calme :

— Je suis disposé à faire beaucoup de choses, monsieur, notamment à payer cent mille livres égyptiennes pour me procurer un tel manuscrit, mais vous m'offensez en affirmant que je prendrais quelqu'un en otage. Au cours de ma longue carrière, personne ne m'a jamais traité de criminel ! D'ailleurs, je vous le répète : je ne connais pas cette jeune femme. Et puis, qu'a-t-elle à voir avec l'ouvrage en question ?

Mon don de déchiffrer les pensées a encore l'air totalement inefficace ; j'espère donc que Camel dit vrai. Il semble en tout cas avoir convaincu mon oncle qui, plongé dans ses réflexions, omet de répondre à la question de l'archéologue et s'en pose une autre à lui-même :

— Mais alors, qui voudrait la séquestrer ?

— Comment vous répondre ? réplique Camel, agacé. Je vous le répète, je ne saisis toujours pas le rapport entre le manuscrit et votre amie. Éclairez-moi plutôt sur le rôle de votre fiancée dans cette affaire. Je pourrais peut-être alors vous venir en aide.

— Sans entrer dans les détails, explique Farid, désireux de protéger sa sœur, disons simplement qu'elle cherche tout comme vous à résoudre le mystère de la bibliothèque.

— Nous sommes nombreux à nous y consacrer, vous savez. Je crains cependant qu'elle s'attire des ennuis si cette rumeur à propos de l'ouvrage venait à s'ébruiter. J'ai déjà moi-même reçu des menaces, et mes connaissances sur le sujet sont minimes.

— Pardonnez mon ignorance, monsieur al Mansour, dis-je, mais l'intérêt de tant de gens à trouver le coupable d'un incendie survenu il y a plusieurs siècles me surprend.

— Vous avez raison. Cela peut sembler un peu fou. Mais les mystères non résolus ont le don de déchaîner les passions ! Il s'agit d'un maillon manquant de l'histoire, sans compter que le sujet reste complexe. En effet, deux bibliothèques auraient existé, et non une seule. Et puis, pour des raisons politiques ou religieuses, les gens ont plutôt cherché à montrer du doigt un coupable plutôt qu'un autre en avançant des arguments favorables à leur cause. Nous nous retrouvons donc face à plusieurs théories.

— Lesquelles ?

— Certains historiens accusent Jules César d'avoir mis le feu à la flotte de la ville pour s'en rendre maître ; l'incendie se serait ensuite propagé à l'une des bibliothèques. D'autres soupçonnent les premiers chrétiens et d'autres encore, le deuxième calife de l'islam, Omar. Les précieux manuscrits datant de l'Antiquité continuent à alimenter encore bien des conversations enflammées.

— Passionnant, assure mon oncle, mais cela ne nous éclaire en rien sur la disparition de ma fiancée.

— Détrompez-vous. Notre discussion me rappelle celle, très intéressante, amorcée avec un collègue. Nous avons discuté d'un certain Salvatore Natale, un disciple d'une secte obscure qui se rend d'église en église pour mener une enquête précisément sur ce sujet.

— Savez-vous où nous pourrions le trouver ? demande Max à nouveau plein d'espoir.

— Pas vraiment, mais vous pourriez visiter quelques églises pour retrouver la trace de ce personnage.

— Merci, monsieur Mansour, dis-je en me levant comme un ressort. Nous n'avons plus une minute à perdre.

— Attends, je dois payer l'addition, déclare mon oncle, de plus en plus soucieux.

— Je vous en prie, dit l'égyptologue, je m'en occupe. Les Alexandrins sont réputés pour leur hospitalité. Oubliez cette histoire d'enlèvement ! Nous sommes en général, des citoyens accueillants et inoffensifs !

CHAPITRE 9

Saint-Saba

De retour dans la limousine, les discussions vont bon train pour savoir par quel lieu de culte commencer notre recherche. Soudain, le chauffeur nous interrompt :

— Monsieur Freddy, si vous me permettez...

— Oui, Ralph, qu'y a-t-il ?

— Pourquoi ne pas vous rendre à l'église Saint-Saba ?

— Connaissez-vous cet endroit ?

— Il s'agit du dernier lieu où j'ai conduit madame Carole. Elle a insisté pour que je l'y laisse. Elle m'a dit vouloir prendre ensuite l'air sur la corniche et se rendre à pied jusqu'à la bibliothèque.

— Mais pourquoi ne l'avez-vous pas dit plus tôt ? demande Farid, étonné.

— Quelle importance ?

— Eh bien, elle ne s'est jamais présentée au rendez-vous fixé avec monsieur Ali ! explique Max. Elle a probablement été kidnappée après avoir quitté l'église, lance-t-il d'une voix étranglée.

— Oh, nooon ! s'exclame le chauffeur. J'ai cru qu'elle avait marché comme prévu jusqu'à la bibliothèque.

Resté dans sa voiture, Ralph n'a pas assisté à notre entretien avec le directeur de la bibliothèque et ignorait donc les détails au sujet de la disparition de Carole. Ainsi, il n'a pas pu nous informer de la dernière course de la jeune fille, étant persuadé qu'elle s'était rendue à son lieu de travail, avait discuté avec son patron, le directeur, pour en repartir et se volatiliser ensuite. Quant à monsieur Ali, faute d'avoir vu son employée, il ignorait lui aussi qu'elle était allée à l'église avant de prendre le chemin de la bibliothèque.

Ralph se place en double file devant la chapelle. Nous descendons de voiture et le chauffeur redémarre pour trouver un endroit où se stationner. Max nous demande de l'attendre dans la rue, décidé à aller d'abord vérifier si Carole a effectivement rencontré Salvatore Natale ici.

Peu enthousiaste à l'idée de parler avec Farid, je regarde ailleurs. Je m'étonne de la quantité de voitures stationnées sur le trottoir, ce qui rend la circulation des piétons difficile. Un ballon de soccer tout usé roule soudain jusqu'à mes orteils. Farid l'attrape avec ses pieds et s'amuse à effectuer des passes. Un garçon à la peau matte s'approche pour récupérer l'objet. Après un bref dialogue avec Farid, incompréhensible pour moi, le frère de Carole me demande :

— Veux-tu jouer ? Il leur manque des partenaires.

— Je pratique rarement ce sport, je joue plutôt au hockey.

— Rien de plus facile. Il te suffit de passer le ballon d'un pied à l'autre, de courir avec et de marquer entre les deux arbres que tu vois là-bas.

— Bon, d'accord, dis-je, convaincu par cette explication extrêmement simple.

Soudain, des enfants accourent mystérieusement d'un peu partout et deux équipes se forment rapidement. La partie improvisée commence sans attendre sur un petit terrain adjacent à l'église. Je peine un peu au départ, mais j'y prends vite goût. Je suis heureux de pouvoir bouger après avoir été confiné à l'intérieur depuis le début de notre séjour à Alexandrie. En plus, contrairement au hockey, le soccer demande peu d'équipement : un ballon et des chaussures font largement l'affaire !

***

— Les garçons ! s'écrie Max en nous apercevant à la sortie du lieu de culte. Allons-y !

— Déjà ? dis-je, essoufflé, mais heureux.

— Laissez-moi appeler Ralph, propose Farid en sortant le téléphone de sa poche. Il doit encore tourner avec la limousine.

— Quelle chance tu as de posséder un cellulaire ! Mes parents refusent de m'en acheter un. Payer une facture supplémentaire ne les enchante pas !

Le garçon compose le numéro.

— Ici, précise Farid, l'installation d'un téléphone à la maison prend trop de temps. Alors, tout le monde a opté pour cette technologie moderne et nettement plus pratique.

« Allô ?... Oui, nous vous attendons... Dans cinq minutes, d'accord. »

Farid se frotte le ventre.

— Moi, j'ai un petit creux, et vous ?

— Oui, nous aussi.

Il hèle aussitôt un marchand de cacahouètes ambulant.

— *Edini shweya soudani*, dit-il au monsieur pour passer sa commande.

— *Soudani*, ça signifie cacahouètes ?

— Exact, réplique Farid. Il donne quelques pièces au vendeur et le remercie. *Shoukran !*

Il offre ensuite des arachides à nos coéquipiers, ravis d'avoir non seulement joué au soccer, mais aussi profité d'une collation inattendue. Ils nous saluent de la main, avant de disparaître au tournant de la rue.

— Et ce commerçant, que vend-il ? demande mon oncle en montrant du doigt ce qui, de loin, pourrait passer pour des cierges.

— Des *termés**. Ce sont des graines de lupin enroulées dans du papier, répond Farid en nous offrant les délices salés.

— Avez-vous obtenu des informations ? demande-t-il en s'adressant à Max.

— Oui, Salvatore Natale a bien rencontré ta sœur...

---

* Terme sans doute emprunté au latin *Lupinus termis,* famille des fèves

— Lui avez-vous parlé ? l'interrompt-il.

— Non. Il se trouve en ce moment au monastère de Sainte-Catherine dans le Sinaï.

Des cacahouètes plein la bouche, nous décidons de poursuivre nos recherches et de laisser nos familles respectives s'occuper des préparatifs du mariage, auquel mon oncle continue à croire, refusant d'abandonner ses projets et sa fiancée aussi facilement.

Quant à moi, je commence à voir Farid, Freddy comme il aime se faire appeler, sous un nouveau jour. Il m'apparaît finalement un peu plus sympathique. En plus, il parle la langue du pays. Avec son aide, je trouverai, je l'espère, le moyen de lire de nouveau dans les pensées. Mon oncle a vraiment besoin de moi pour retrouver Carole.

CHAPITRE 10

Un désert de pierres

J'arrive enfin à destination, le souffle coupé par l'ascension de la montagne qui a pris plus de deux heures par la route des chameliers ! Mais j'oublie vite ma fatigue, subjugué par la beauté de l'endroit. J'aperçois le monastère de Sainte-Catherine au pied du mont Sinaï, flanqué d'un surprenant jardin, unique oasis de verdure au milieu de ces montagnes de pierre. Étrangement, l'aspect aride du paysage me rappelle mon rêve. Devrais-je y voir une coïncidence ou une sorte de message ? Une chose est sûre, il règne ici une ambiance magique ; j'ai quasiment l'impression de me trouver au bout du monde. Max doit vraiment aimer Carole pour nous avoir entraînés si loin !

— Bon, c'est bien joli, dit Freddy encore un peu essoufflé par la montée, mais par où commençons-nous ?

— Allons à la pension, répond mon oncle en sortant un petit dépliant de son sac à dos. Elle se trouve juste à côté du monastère.

— Nous pourrions y boire quelque chose, ajoute Ralph, les lèvres desséchées par la soif.

À l'accueil, Max demande où se procurer des rafraîchissements.

— Vous pouvez prendre un verre au patio, si vous le souhaitez, propose la réceptionniste.

— Pourriez-vous encore nous être utile ? dis-je, avec mon plus beau sourire. Nous cherchons un monsieur Natale. Figure-t-il dans votre registre ?

— Désolée, jeune homme, mais la politique de la pension m'interdit de divulguer ce genre de renseignement.

— Oui, mais...

Freddy m'interrompt en me marchant sur le pied.

— Laisse-moi faire, me souffle-t-il à l'oreille. Allez vous asseoir, je vous rejoins tout de suite.

Je frotte mon pied un peu douloureux,

puis suis Ralph qui nous conduit gentiment vers le patio. Pendant ce temps, Freddy entame une conversation enjouée avec la dame.

— Alors ? demande mon oncle, lorsque le frère de Carole nous rejoint à table.

— Monsieur Natale va venir nous rencontrer dans cinq minutes.

— Il se trouve donc dans la pension ! s'exclame Max, tout joyeux.

— Effectivement.

— Comment as-tu fait pour lui tirer les vers du nez ? demandé-je, étonné.

— Il faut éviter d'être trop pressé... Si tu veux obtenir de l'information dans ce pays, il vaut mieux tisser des liens avec les gens. J'ai pris la peine de lui raconter la disparition soudaine de Carole. Elle a eu pitié de moi, car elle a, elle aussi, une sœur. Elle a donc décidé de nous aider en commettant une petite entorse au règlement.

La présence de Freddy et sa connaissance des habitudes locales s'avèrent d'un grand secours. Pour la première fois depuis la découverte de mon don, je dois m'en remettre à quelqu'un d'autre, car toutes mes tentatives pour déchiffrer les pensées des Égyptiens ont échoué.

***

Aussi grand qu'une asperge et maigre comme un fil, l'homme assis en face de moi et tout de noir vêtu m'inspire la plus grande suspicion. Pourtant, il constitue notre unique piste pour retrouver Carole. Encore une fois, mon oncle assaille son suspect de questions. Cette fois-ci, c'est au tour de Salvatore Natale d'en faire les frais.

— Que faisiez-vous à Alexandrie ?

— Je cherchais des informations à propos de la destruction de l'ancienne bibliothèque de la ville.

— Êtes-vous allé à l'église Saint-Saba ?

— Oui.

— Y avez-vous donné rendez-vous à Carole Soussa ? L'avez-vous rencontrée ?

— Oui, oui, et oui. Enfin, à quoi riment toutes ces questions ?

L'enquêteur novice ignore les protestations de l'étrange monsieur et poursuit son impitoyable interrogatoire.

— Quel était l'objet de votre discussion avec la jeune femme ?

— Écoutez, si vous êtes encore une de ces personnes qui souhaitent résoudre le mystère de la bibliothèque, je resterai motus et bouche cousue.

— Je vous rassure tout de suite, nous cherchons seulement à retrouver Carole.

— Vous n'avez qu'à la joindre à la bibliothèque !

— Impossible, elle a disparu.

— Comment ?

Salvatore semble sincèrement étonné.

— Où se trouve-t-elle en ce moment ? demande mon oncle.

— Comment voulez-vous que je le sache ? Et puis, en quoi cela vous concerne-t-il ?

— Il s'agit de ma fiancée !

— Ah, désolé...

— Mon oncle, monsieur Natale dit peut-être la vérité. Laissons-le s'expliquer.

Après une seconde d'hésitation, l'homme filiforme raconte :

— J'ai rencontré Carole comme prévu. Je voulais lui parler dans un endroit tranquille. Selon les rumeurs qui circulent dans le milieu, elle en sait beaucoup sur l'incendie de la bibliothèque, l'objet de mes recherches. Depuis longtemps, je cherche à innocenter les premiers chrétiens dans cette affaire. Je me suis donc penché sur l'éventuelle responsabilité du calife Omar. Aurait-il ordonné la destruction des livres lors de sa conquête d'Alexandrie, comme on le prétend ? Après consultation de nombreux documents, j'ai fini par écarter cette hypothèse, car le savoir du monde musulman dépassait, à l'époque, celui de l'Occident ; les conquérants avaient donc tout intérêt à conserver ces trésors de connaissances. À ce stade de mon étude, je souhaitais connaître l'opinion de mademoiselle Soussa sur ce point. Malheureusement, elle a invoqué le secret professionnel et elle a refusé de me divulguer ce qu'elle savait.

— Alors, vous avez décidé de la kidnapper ! lance Freddy, énervé.

— Non, non, je vous assure ! Je suis innocent ! Notre entretien terminé, elle a quitté l'église et je ne l'ai plus revue. Sur le coup, je l'avoue, j'ai ressenti une certaine déception, mais la perspective de consulter les très anciens manuscrits conservés ici, à la bibliothèque du monastère, m'a donné espoir. Voilà pourquoi je me trouve dans ces montagnes, pour explorer une autre piste.

— Et avez-vous découvert quelque chose ? l'interroge Ralph.

— Rien jusqu'à présent.

—Nous sommes dans de beaux draps ! lance Max en colère. Carole reste introuvable et nous passons notre temps à discutailler.

Mon oncle perd son sang-froid ; je décide de poursuivre l'interrogatoire à sa place.

— Monsieur Natale, savez-vous qui d'autre s'intéresse au mystère de l'incendie ?

— Vous l'avez sûrement constaté, ce sujet éveille la passion de toutes sortes de personnes.

— Oui, nous l'avons remarqué, mais pensez-vous à quelqu'un en particulier ?

— Un seul nom me vient à l'esprit... Naguib Salem.

— Pourquoi avez-vous des soupçons à l'égard de ce monsieur ?

— Depuis des années, ce journaliste connu travaille à l'écriture d'un livre sur la destruction de la bibliothèque.

— Oui, et alors ?

— Encore une fois, d'après les rumeurs, il compterait sur la publication de son ouvrage pour devenir enfin un écrivain célèbre.

— Et où peut-on le trouver ?

— Quelque part au Caire.

— D'autres pistes ?

— Non, mais, ma collaboration vaudrait bien un petit service...

— Lequel ? demande Freddy.

— L'organisation pour laquelle je travaille juge le manuscrit de Carole d'une grande valeur. Si vous le retrouvez, elle envisagerait de l'acheter pour cent cinquante mille livres égyptiennes.

— Quel aplomb ! s'écrie Max en bondissant de sa chaise. Vous vous souciez juste de ce fichu tas de feuilles. Ah ! si je mets la main dessus, je le détruis, je le réduis en poussière, je...

— Calmez-vous, monsieur. Vous énerver ne ramènera pas votre fiancée.

— Il a raison, lâche Freddy. Venez ! Partons ! Rebrousser chemin risque de nous prendre bien du temps.

CHAPITRE 11

Et les pyramides ?

Avant de partir à la recherche de monsieur Salem, Freddy insiste pour que Ralph nous dépose au renommé marché Khan el-Khalili. Madame Violette lui a demandé de passer chez un orfèvre prendre des boucles d'oreilles en or typiques commandées à l'occasion du mariage de sa fille. Cette course, a priori banale, se transforme en véritable expédition. Pour nous rendre chez le commerçant, nous devons en effet nous frayer un chemin dans des rues étroites, peuplées d'une foule dense. J'y découvre tour à tour des étals d'épices, des parfumeries, des bazars regorgeant de pyramides en albâtre et autres articles touristiques. Nous arrivons enfin dans le quartier des bijoutiers, et guidés par Freddy, nous entrons dans un magasin. Après quelques formules de politesse, le propriétaire nous montre de splendides bijoux. À leur vue, Max a la larme à l'œil en se demandant si sa fiancée les portera un jour. Freddy s'empresse de régler le joaillier pour mettre fin à ce moment embarrassant. Nous nous retrouvons de nouveau dans la rue, à nous interroger sur la direction à suivre pour trouver ce fameux journaliste qui, selon la presse à scandale, habite le quartier.

— Entrez, messieurs, venez voir mes superbes tapis ! lance le propriétaire du commerce adjacent à la bijouterie. J'en ai pour tous les goûts, ajoute l'homme moustachu au sourire avenant.

— Merci, *ya basha**, mais nous avons déjà fait nos achats, réplique Ralph.

— Mais ce jeune homme semble vouloir en apprendre davantage sur cette marchandise typique de notre pays, poursuit le marchand, qui a remarqué mon intérêt. Passez à l'intérieur, mon ami.

Malgré le regard désapprobateur de Max, je me laisse entraîner dans la boutique. Le vendeur se perd alors en explications

* *Bacha* ou *Pacha*, mot turc qui signifie gouverneur, grand dignitaire. Dans ce contexte, terme qui crée une certaine distance.

sur la confection, l'origine et la beauté des tapis. Mon oncle s'impatiente et tape du pied, mais je continue à écouter attentivement le commerçant, qui comprend vite que nous n'achèterons rien : moi par manque d'argent, Max parce que ça l'indiffère complètement. L'homme fait preuve tout de même d'une grande hospitalité en nous invitant à prendre le thé. Freddy en profite pour entamer la conversation. Il se doute que, grâce à son métier, notre hôte connaît tous les gens du quartier et pourrait nous aider à trouver monsieur Salem, le journaliste. Au bout de quelques minutes, le frère de Carole obtient ainsi la bonne adresse. Nous remercions chaleureusement le propriétaire, Max y compris !

***

Naguib Salem nous accueille dans le bureau richement décoré de son appartement.

— Votre visite me surprend, mais me flatte. Je reçois rarement des gens venant de si loin pour me rencontrer. Ma parole, des Canadiens... Sans doute ma célébrité s'étend-elle au-delà de l'Atlantique !

— Certainement, répond Max, narquois. Nous sommes ab-so-lu-ment ravis de faire votre connaissance, ajoute-t-il.

— Tout le plaisir est pour moi. Mais avant de nous intéresser à ma personne, seriez-vous assez aimable pour répondre à une question qui me brûle la langue depuis longtemps ? demande Salem.

Mon oncle, à bout de patience, hoche néanmoins la tête en signe d'approbation.

— Comment parvenez-vous à survivre aux températures aussi extrêmes de votre pays ? D'après la météo, il ferait chez vous, en ce moment, autour de -25° C ! Même mon congélateur n'est pas aussi froid !

— Je vous rassure tout de suite ; contrairement à vos aliments gelés, nous portons des vêtements pour nous protéger du froid ! réplique mon oncle, irrité par une question aussi saugrenue.

Sentant qu'il a peut-être vexé son interlocuteur, monsieur Salem redouble d'amabilité.

— Prendriez-vous un café ?

La réponse se fait attendre. Gêné, il ajoute :

— En quoi puis-je vous être utile ?

— Connaissez-vous Carole Soussa ? demande sèchement Max.

— Le nom me dit quelque chose... Oui, ça me revient. Nous nous sommes rencontrés à l'occasion d'une conférence sur la *Bibliotheca Alexandrina*.

— Quand ?

— Il y a quelques mois.

— Vous souvenez-vous du sujet de votre discussion ?

— Nous avons bavardé de choses et d'autres... Une passionnée du métier, cette jeune fille !

— Soyez plus précis, monsieur.

— Puis-je vous demander en quoi cela vous intéresse ?

— J'enquête sur sa disparition, déclare Max, qui en a assez de toujours répéter la même chose.

— Un événement regrettable...

— Pas autant pour vous que pour moi.

Je me décide à intervenir avant que les choses s'enveniment.

— Auriez-vous la gentillesse de nous donner des précisions sur votre conversation ?

— Si vous insistez, lance Naguib. Nous avons discuté de l'éventuelle responsabilité du calife Omar dans la destruction de la bibliothèque. Je lui ai affirmé que, à mon avis, cette théorie est montée de toutes pièces. Je l'ai ensuite informée des rumeurs au sujet d'un certain manuscrit qui nous permettrait de résoudre le mystère. Je voulais observer la réaction de mademoiselle Soussa. Telle une statue de marbre, pas un de ses cils n'a bougé. Mon rêve de poursuivre la rédaction de mon roman a volé en éclats.

— Vous avez décidé de prendre des mesures plus draconiennes, je suppose ?

— Pensez-vous à quelque chose en particulier ?

— Un enlèvement.

Les paupières de Naguib Salem rétrécissent dangereusement.

— Croyez-moi, jeune homme, je ne me risquerais pas à entacher ma réputation de journaliste. J'écris tous les jours des articles sur des gens impliqués dans diverses affaires. Naïfs, ils pensent échapper à la justice. Mais je peux vous assurer par expérience, qu'après leurs méfaits, ils se retrouvent le plus souvent en prison !

Ses pensées profondes m'échappent encore, mais son argument est pertinent. Il finit de me convaincre lorsqu'il ajoute :

— Vous savez, mademoiselle Soussa m'a l'air d'être brillante ; toutefois, je ne me vois pas m'encombrer d'une jeune fille à la personnalité aussi fougueuse. J'aspire à plus de tranquillité dans mon quotidien.

— Que voulez-vous dire par là ? demande mon oncle, dont le ton a monté d'un cran.

— Sans vouloir vous offenser, je l'ai perçue comme une femme plutôt entêtée dans ses démarches, et....

Bien sûr qu'elle fait preuve d'obstination, pense Max ; *sinon, elle n'aurait jamais défié tout le monde pour m'épouser !*

— Merci pour vos précisions, dis-je pour interrompre l'homme à la chevelure soignée et lissée dont les explications importunent mon oncle.

— Comprenez notre grand découragement, ajoute Freddy. Jusqu'à présent, tout le monde semble très enthousiaste à l'idée d'acheter le fameux manuscrit, mais nous piétinons toujours dans nos recherches.

— Je comprends, mais vous savez, n'importe qui serait prêt à payer une fortune pour être mondialement reconnu comme étant la personne à avoir élucidé le mystère ou pour posséder un objet d'une telle valeur. D'autres aimeraient bien faire un peu d'argent en le revendant. Quant à moi, je serais disposé à l'acquérir pour deux cent mille livres égyptiennes afin de terminer mon roman !

***

La rencontre avec Naguib Salem nous ramène à la case départ. Nous nous trouvons dans une impasse. Ralph nous suggère alors de rentrer à Alexandrie ; madame Violette a certainement besoin d'avoir son fils à ses côtés dans ce moment difficile.

Je lui demande si nous pouvons faire un détour pour apercevoir au moins les pyramides. Il accepte. En passant par la route désertique, nous pourrons les admirer.

La visite de ces trois monuments exceptionnels se déroule différemment de ce que j'avais imaginé. Nous descendons rapidement de voiture, nous les photographions et oublions de sourire, car notre esprit se trouve déjà ailleurs. Ma seule consolation, c'est d'avoir capturé ces immortelles merveilles avec mon appareil photo.

CHAPITRE 12

Un miracle !

Sur le chemin du retour, j'écoute les airs égyptiens à la radio de la limousine. Des *habibi, habibi*, autrement dit *chéri*, semblent inévitablement ponctuer toute chanson qui se respecte, comme me l'a expliqué Freddy. Mon regard se pose sur le frère de Carole, profondément endormi sur la banquette de l'auto. Finalement, je l'aime bien. Pendant notre aventure, j'ai pris conscience de sa débrouillardise et, grâce à ses explications, j'ai appris le sens de nombreux mots arabes et découvert la culture de son pays. Grand-mère a encore une fois raison : il faut aller au-delà des apparences. Toutefois, garder l'esprit ouvert semble insuffisant pour déchiffrer les pensées des Égyptiens... Je ferais mieux de somnoler moi aussi et d'abandonner tout espoir de recouvrer mon don.

Ralph m'observe dans le rétroviseur. Conscient de ma fatigue, il me propose de baisser la musique pour m'aider à dormir, puis il se concentre de nouveau sur la route. J'ignore pourquoi, mais ses yeux fixes et sans expression produisent chez moi un déclic. Peut-être parce que je m'y attarde pour la première fois. Je les ai à peine remarqués tant il a l'habitude de marcher la tête baissée, en bredouillant quelque amabilité. Toujours est-il que le miracle tant attendu se produit, je peux enfin lire ce qu'il pense :

Ma pauvre Myriam, ma sœur. J'ai tellement hâte de rentrer pour la revoir. J'espère qu'elle tient encore le coup. Si seulement je pouvais vendre ce fameux manuscrit ! Je n'aurais plus à me soucier d'obtenir l'argent nécessaire pour la soigner. C'est surprenant de constater à quel point toutes les personnes que nous avons rencontrées sont prêtes à acheter cet ancien ouvrage, même à un prix exorbitant...

Le monologue de Ralph m'apparaît pour le moins curieux : réfléchit-il simplement au fait que le vieux document a une valeur démesurée ou se pourrait-il que germe dans son esprit une machination pour mettre la main sur le manuscrit et en tirer une somme capable de guérir sa sœur ? Et si, pour une quelconque raison, il l'avait déjà en sa possession ? Pire, aurait-il enlevé Carole ? Ces questions se bousculent dans ma tête.

— Sommes-nous bientôt arrivés ? demande Max, impatient.

— Il faut compter encore quarante-cinq minutes, monsieur.

Sans le savoir, mon oncle vient d'interrompre les pensées du chauffeur. Pour le moment, je n'en saurai donc pas plus, mais je me promets de suivre cette piste, que je viens de découvrir.

CHAPITRE 13

La tension monte

Attablés encore une fois Chez Délices, nous attendons l'arrivée du directeur de la bibliothèque. Max l'a joint depuis la limousine à l'aide du cellulaire de Freddy. Il croyait gagner au moins une précieuse demi-heure en lui demandant de nous y attendre, le temps que nous arrivions.

— Mais que fait-il ? Il m'a assuré qu'il serait là avant nous, dit Max, hors de lui.

— Une affaire le retient peut-être.

— Quel autre problème pourrait le préoccuper, Étienne ? me répond sèchement mon oncle. La vie de son employée devrait être, il me semble, sa principale priorité !

Je me garde de répondre ; mon oncle marche sur des charbons ardents. Après tout, sa patience a des limites. Il veut retrouver sa fiancée, et vite ! Il craint avec raison pour la vie de cette dernière...

Ali apparaît enfin, toujours aussi jovial.

— Alors, messieurs, de bonnes nouvelles, j'espère ?

— Non, nous nous trouvons toujours dans une impasse.

— Mais vous allez très certainement retrouver Carole...

— Inutile de vous fatiguer en boniments, déclare Max, déterminé. Je vous avertis, soit vous nous dites combien vous voulez pour le manuscrit, soit je vous dénonce à la police.

— Mais voyons, calmez-vous ! Pourquoi voudrais-je acheter cet ouvrage ?

— Sa possession vous rendrait célèbre. L'idée que votre employée le devienne à votre place vous dérange peut-être.

— Pas du tout ! Cette découverte assurera la renommée de la bibliothèque tout entière, pas seulement de votre fiancée.

— Peut-être, mais j'ai l'impression que vous nous avez mis sur une fausse piste...

— Pourquoi aurais-je fait une chose pareille ? réplique monsieur Ali.

— Je l'ignore, avoue mon oncle, découragé, mais nous tournons en rond…

Profitant du soudain silence, le chauffeur se risque à le briser :

— Vous avez peut-être besoin de temps pour décider de la marche à suivre. En attendant, je pourrais rendre visite à ma sœur, sa santé s'affaiblit… Elle habite tout près. Lorsque vous aurez besoin de mes services, appelez-moi et je serai aussitôt de retour.

Je me demande bien où il a l'intention d'aller…

— Bonne idée, acquiesce le frère de Carole. Mais avant de rendre visite à Myriam, pourriez-vous m'amener à la pharmacie ? Ma mère m'a appelé ; elle a besoin de médicaments.

— Entendu, répond Ralph avec une moue contrariée qui échappe à tous, sauf à moi.

— Un instant ! Ne partez pas tout de suite, tous les deux, dis-je en me levant soudainement. J'ai vraiment trop faim pour attendre votre retour. Freddy, pourrais-tu m'aider à choisir un dessert ?

Avant qu'il ait le temps de protester, je le tire par la manche.

— Tu dois connaître ce qu'il y a de meilleur ici.

Nous nous éloignons de la table pour nous approcher de la vitrine où trônent les délices.

— Te voilà bien pressé de te goinfrer de pâtisserie, déclare Freddy, étonné.

— Écoute, le temps presse, dis-je discrètement à celui que je considère maintenant comme mon ami. Il s'agit d'un prétexte pour te parler. Je veux savoir si je peux compter sur toi pour garder un secret.

— Absolument !

Je me retourne et j'aperçois le regard pénétrant de Ralph posé sur moi.

— Agis le plus naturellement du monde pendant que je discute avec toi.

Freddy hoche la tête en signe d'approbation.

— Lequel me recommandes-tu, le millefeuille ou l'éclair au chocolat ?

— Sans hésitation, le premier. C'est une spécialité alexandrine. La confiture onctueuse fond dans la bouche, la pâte...

— Passons, passons.

Je décide de me jeter à l'eau.

— Tu dois me faire confiance, nous devons suivre ton chauffeur !

— Pourquoi ?

— J'ai des soupçons à son égard.

Je lis l'incrédulité dans ses pensées. Si je veux rapidement mettre mon plan à exécution, je dois l'informer de mon pouvoir. Après tout, j'ai besoin d'un allié. Je lui résume brièvement les caractéristiques de mon don exceptionnel et lui explique ensuite l'incident survenu dans la voiture. Voilà pourquoi j'ai maintenant une nouvelle piste à explorer.

Nous passons à la caisse.

— Demande à Ralph d'aller chercher le médicament à la pharmacie. Pendant ce temps, j'aurais besoin de toi pour convaincre mon oncle et monsieur Ali de prendre le chauffeur en filature.

— Ce sera plus rapide si tu les mets au courant de ton pouvoir.

— Hors de question. Ils refuseront de me croire. Tu connais les adultes ; à moins d'avoir une explication rationnelle, ils ne bougeront pas le petit doigt. Nous perdrons des minutes précieuses et notre suspect nous échappera.

— Merci de me faire confiance, déclare Freddy en souriant.

Nous retournons à table avec le gâteau qui promet d'être délicieux.

— Pouvons-nous y aller maintenant ? demande Ralph, impatient.

— Finalement, je vais partager le mille-feuille avec Étienne, réplique Freddy en guise de prétexte. Cette pâtisserie est trop fine pour y résister ! Vous pouvez passer rapidement à la pharmacie avant de rendre visite à votre sœur, le magasin se trouve à quelques rues à peine en voiture.

— Comme vous voudrez, répond le chauffeur, résigné.

Aussitôt Ralph parti, notre séance de persuasion débute.

— Peut-être avons-nous négligé une donnée importante dans notre enquête, lancé-je, comme un pêcheur jetant son hameçon. Le poisson mord aussitôt :

— Que veux-tu dire ? s'enquiert Max, étonné.

— Nous avons soupçonné un tas de gens d'avoir kidnappé Carole pour devenir célèbres, y compris monsieur Ali, mais nous avons omis un motif tout simple : l'appât du gain.

— Oui, Étienne a raison, dit Freddy pour me venir en aide. Et si quelqu'un cherchait à obtenir le manuscrit, tout simplement pour le revendre et empocher de l'argent ?

— Qui oserait échanger cet ouvrage historique comme une simple marchandise ? réplique le directeur de la bibliothèque, indigné.

— Quelqu'un de très désespéré, une personne qui a un besoin pressant de fonds... Mon chauffeur, peut-être ? lâche finalement Freddy.

— Mais il est au service de votre famille depuis si longtemps ! déclare monsieur

Ali, offusqué. Il n'oserait jamais faire du mal à Carole !

— Je pense comme vous, et pourtant... Sa sœur souffre d'une grave maladie. Il a probablement besoin d'argent pour payer ses soins.

— Les enfants ont un argument de taille, admet Max. Nous devrions suivre Ralph pour vérifier s'il se rend effectivement au chevet de la malade. Nous n'avons rien à perdre ; au point où nous en sommes, nous ne devons négliger aucune piste.

— D'accord, prenons ma voiture, propose le directeur, déjà debout afin d'attirer l'attention du serveur pour régler la note.

CHAPITRE 14

Un quartier chic

Nous avons quitté Alexandrie depuis dix minutes. Nous roulons sur la route du littoral en direction de Marsa Matrouh, une station balnéaire renommée selon Freddy. Jusqu'à présent, nous avons réussi à nous tenir à bonne distance derrière la limousine de Ralph, sans la perdre de vue ni nous faire repérer. Nous passons devant le supermarché Carrefour et nous empruntons ensuite une route en direction du lac Mariout pour pénétrer dans une banlieue de rêve : Alex West. Ici, les cabanes de pêcheurs ont fait place à de somptueuses villas, entourées d'un golf et de plusieurs installations sportives. La probabilité que la sœur du chauffeur habite ce quartier me paraît tout de suite faible. Ce dernier stationne son véhicule devant une maison à la grandeur hollywoodienne et au jardin luxuriant. Il sonne à la porte, sans se douter que nous le suivons à la trace depuis la pharmacie où, grâce aux raccourcis empruntés par Ali et à sa conduite rapide, nous sommes arrivés juste à temps pour l'en voir ressortir avec les médicaments commandés. Nous traversons l'oasis de verdure et nous nous plaçons aux aguets près du salon, dont les fenêtres sont grandes ouvertes. Nous parvenons ainsi à écouter la conversation entre Ralph et le propriétaire des lieux.

— Vous voilà enfin ! s'exclame l'homme bedonnant et au crâne dégarni.

— Désolé d'avoir mis autant de temps, mais il m'a été impossible de me libérer plus tôt sans éveiller les soupçons, répond le chauffeur d'une voix mal assurée.

— Si vous êtes aussi prudent qu'avide, nous voilà tranquilles, fait remarquer l'homme sur un ton persifleur.

— Habituellement, l'argent m'importe peu, répond Ralph, vexé, mais ma sœur en a grandement besoin...

Freddy murmure aussitôt :

— Je vous l'avais bien dit !

— Chut ! l'interrompt monsieur Ali sur le même ton.

La conversation entre les deux complices se poursuit.

— Alors, nous allons très certainement nous entendre, poursuit le riche propriétaire. Je suis disposé à vous offrir une somme rondelette en échange du manuscrit.

Mon oncle s'insurge.

— Ah, la crapule ! Je vais en faire de la chair à pâté... Je vais...

— Doucement, chuchote Freddy en le tirant par la manche. Ne mettons pas la vie de Carole en danger.

Nous prêtons de nouveau l'oreille pour entendre les propos échangés à l'intérieur de la luxueuse maison.

— Combien comptez-vous me donner ? demande le chauffeur.

— Cent soixante-quinze mille livres égyptiennes.

— Je connais des gens prêts à payer bien plus cher. Le dernier en date proposait au moins deux cent mille livres égyptiennes.

— À votre place, monsieur, je me garderais de toute négociation. Je vous rappelle que j'ai la fille.

— Et moi, le manuscrit.

— Je me demande d'ailleurs comment il a atterri dans vos mains.

— Par pure coïncidence. Lorsque nous avons commencé à chercher mademoiselle Soussa, j'ignorais où l'ouvrage se trouvait. Je l'ai remarqué par hasard en ouvrant la boîte à gants. Carole a dû l'y dissimuler. Au départ, je voulais informer sa famille de ma découverte, mais j'y ai vite renoncé. Les fortes propositions d'achat de toutes les personnes rencontrées m'en ont dissuadé. Il m'a semblé avantageux de négocier plutôt avec le plus offrant pour obtenir l'argent nécessaire à la guérison de ma sœur. Vous m'avez alors joint.

— Oui, mademoiselle Soussa a fini par avouer où elle avait caché le manuscrit et m'a donné votre numéro de téléphone cellulaire.

— Vous ne lui avez fait aucun mal, j'espère ? s'enquiert le chauffeur.

— Rassurez-vous, la peur suffit parfois à délier les langues.

— Revenons-en au prix.

— Je vous en donne deux cent mille livres égyptiennes et j'ajoute vingt mille de plus. En tant que collectionneur passionné, je refuse de voir ce trésor dans d'autres mains.

— Entendu.

— Remettez-moi le manuscrit.

— Je l'ai caché dans un endroit secret. Je voudrais d'abord m'assurer de la bonne santé de mademoiselle Carole.

— Elle aussi se trouve en lieu sûr. Apparemment, nous sommes tous les deux méfiants. Je vous propose donc un arrangement. Retrouvez-moi demain matin à sept heures, en ville, devant Awalad Abdou, rue Youssef, avec l'ouvrage, dit-il. Je vous échangerai la fille.

— Bien, mais mademoiselle Soussa ne doit me voir sous aucun prétexte au moment de sa libération. Mon implication dans cette affaire doit rester secrète.

Alors que les deux brigands se mettent d'accord sur la manière de procéder à l'échange, nous décidons de nous éclipser au plus vite pour retourner Chez Délices avant Ralph et faire comme si de rien n'était.

CHAPITRE 15

Le magasin d'antiquités

Abasourdis par les propos entendus plus tôt, nous avons eu toute la misère du monde à feindre l'ignorance lorsque Ralph nous a rejoints à la pâtisserie à la suite de sa prétendue visite chez sa sœur. Après nous avoir raccompagnés chez madame Violette pour le souper, personne n'ayant besoin de ses services pour la soirée, il est reparti comme à l'habitude.

Nous avons rongé notre frein toute la nuit en attendant l'heure fatidique. Et l'attente continue ; nous sommes maintenant postés près du lieu du rendez-vous. Nous avons pris soin de nous déguiser pour éviter d'être reconnus. Nous surveillons le va-et-vient constant des clients d'Awalad Abdou, une vraie mecque du sandwich bon marché, paraît-il. Malheureusement, nous avons manqué les derniers détails de la conversation entre le chauffeur et le mystérieux inconnu, et je me demande comment ils vont procéder à l'échange dans un endroit aussi fréquenté. Je repère soudain notre monsieur chauve qui se dirige vers la sandwicherie. Au même moment, Ralph arrive en direction opposée. Les deux personnages se serrent la main, puis à mon grand étonnement, empruntent la rue Attarin. Nous mêlant aux autres piétons, nous les suivons discrètement dans un dédale de ruelles, jusqu'au marché des antiquaires. Les malfaiteurs s'arrêtent enfin devant une boutique de brocante. Le monsieur rondouillet déverrouille la porte à l'aide d'une clé et fait entrer le chauffeur. De l'extérieur, nous les voyons pénétrer ensuite dans une petite pièce à l'écart. Les deux hommes montrent une grande prudence. Pourtant, en raison de l'heure matinale, ils n'ont pas à craindre les clients indiscrets. Nous concevons rapidement un plan. Max et Freddy passeront par l'arrière-boutique pour surprendre les occupants, tandis qu'Ali et moi, nous nous introduirons discrètement par l'avant du magasin afin de les empêcher de fuir. Le directeur de la bibliothèque me fait signe d'avancer doucement, à

quatre pattes, pour éviter qu'on me repère. Je passe devant une reproduction énorme d'un sarcophage avant de m'approcher suffisamment pour entendre la conversation. Les propos nous parviennent par la porte vitrée du bureau, qui a été laissée entrouverte.

— Passons aux choses sérieuses, monsieur Ralph. Montrez-moi le manuscrit.

— Pas si vite, je voudrais d'abord voir la somme promise.

L'antiquaire ouvre une mallette noire, posée sur la table au milieu d'une pile de papiers si gigantesque qu'elle semble toucher le plafond. Je distingue vaguement les liasses d'argent.

— Êtes-vous satisfait ?

— Pas encore, répond le chauffeur. Garantissez-moi la libération de mademoiselle Carole.

— Décidément, vous m'étonnez. Vous paraissez sans scrupules et pourtant, vous vous souciez toujours du sort de la jeune fille.

— Je vous l'ai déjà dit : d'habitude, je m'intéresse peu aux affaires monétaires, mais là, le temps me manque. La santé de ma sœur se détériore... Revenons plutôt à l'otage, poursuit Ralph. Comment comptez-vous la libérer sans qu'elle me voie ?

— Élémentaire, mon cher, j'ai...

L'antiquaire s'interrompt à la vue du manuscrit que le chauffeur vient de sortir de sous son manteau.

— Quelle merveille ! s'exclame-t-il, comme hypnotisé par le livre tant convoité. Quelle pièce unique pour ma collection personnelle...

— Vous disiez ? l'interrompt le chauffeur en posant sa main sur le manuscrit pour ramener son interlocuteur à la réalité.

Le regard du collectionneur se détourne alors du trésor si ardemment désiré.

Semblant reprendre ses esprits, il continue ses explications :

— J'ai enfermé ma captive dans l'arrière-boutique. L'endroit est équipé d'une caméra pour décourager toute tentative de vol. Lorsque nous aurons procédé à l'échange, vous pourrez me voir sur cet écran lorsque je libérerai Carole, dit-il en se tournant vers l'appareil.

L'homme devient soudain très pâle.

— Malheur ! Que font ici ces deux-là ? demande-t-il d'une voix étranglée.

Ralph, à son tour, aperçoit Max et Freddy, serrant dans leurs bras une Carole libre et ravie. Je fais aussitôt signe à Ali de passer à l'action, avant que les malfaiteurs réagissent. Le directeur se précipite dans la pièce et, tel un ouragan soulevant tout sur son passage, fait voler la pile de papiers posés sur le bureau. Aveuglés par la multitude de feuilles qui virevoltent dans les airs, les deux hommes pris au piège tentent de maîtriser leur attaquant. Profitant de la bagarre, je m'approche à quatre pattes du manuscrit un instant oublié, et je le saisis. Malheureusement, le collectionneur s'aperçoit de ma manœuvre. Il lâche Ali aussi sec et s'élance par-dessus le bureau pour tenter de m'attraper. Heureusement pour moi, il échoue et s'écrase au sol dans un rugissement de fureur. Je profite de cette chute opportune pour me remettre sur mes pieds avec l'agilité d'une panthère et je me dirige vers la sortie. Endolori, le collectionneur réussit tant bien que mal à se relever. Talonné par mon poursuivant, je cours dans la rue avec l'énergie du désespoir, le manuscrit sous le bras. Je me

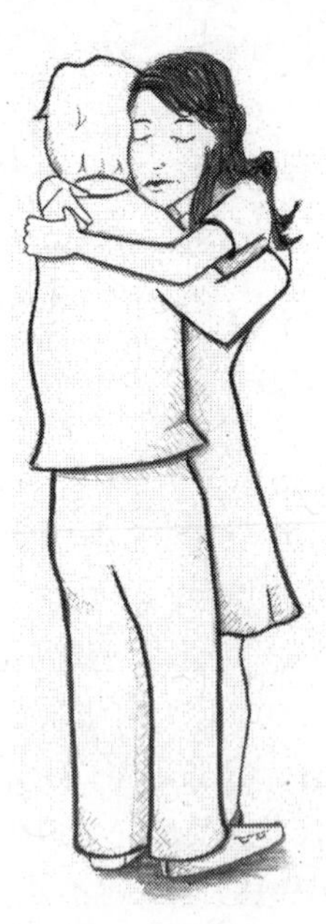

demande dans quelle direction fuir lorsque la vue d'un taxi jaune et noir me redonne du courage. Je le hèle immédiatement et monte à bord. Le chauffeur me demande en anglais ma destination ; je lui réponds de foncer tout droit et à toute vitesse. Il me faut réfléchir, mais le temps m'est compté. Je distingue déjà, dans le rétroviseur, l'antiquaire qui saute lui aussi dans un véhicule similaire. La bibliothèque m'apparaît alors comme le seul lieu où me réfugier. Après tout, l'ouvrage en provient et les gens, là-bas, connaisseurs de livres anciens, m'aideront certainement. Je dois cependant trouver un moyen de me débarrasser du collectionneur. Je demande à mon conducteur s'il peut me mener à destination tout en semant mon poursuivant. Pour éviter d'être pris dans la circulation, il me propose plutôt de me déposer à la station de Ramla. Je pourrais y prendre l'un des tramways bleus vers l'est, puis descendre à un arrêt proche de la bibliothèque pour m'y rendre à pied. Aussitôt dit, aussitôt fait. Arrivé à la gare, je monte dans le bon tram, après avoir difficilement obtenu des renseignements au guichet. Je déclenche immédiatement une cascade de rires. Le guichetier a oublié de m'informer de l'existence de wagons réservés aux femmes. Trop tard. La voiture se met en marche. Toujours à mes trousses, l'antiquaire, respectueux des coutumes, se trouve, lui, dans la bonne section. Une fois à la halte indiquée, je saute dans la rue et commence ma course en direction de la bibliothèque. Pour me redonner courage, je me dis que l'homme bedonnant aura du mal à me rattraper. La distance gagnée par rapport à l'antiquaire, lourdaud mais très déterminé, me donne le temps de m'adresser à la réceptionniste.

— J'ai besoin... d'ai... d'aide, mademoiselle, fais-je, tout essoufflé.

— Que se passe-t-il ? Tu transpires à grosses gouttes, mon garçon. On croirait que tu viens de courir un marathon !

— Presque...

— Mais je te reconnais...

— Passons les présentations, voulez-vous ? J'ai un homme fou furieux à mes trousses. Il veut récupérer ce manuscrit, dis-je en le posant sur son bureau.

— Effectivement, cet exemplaire a l’air unique, déclare-t-elle en l’inspectant.

— Vous devez m’aider, il arrive !

— Sois sans crainte. La meilleure manière de se débarrasser d’un assaillant, c’est de crier au voleur ! Les gens en feront de la chair à saucisses.

L'entrée du collectionneur dégoulinant de sueur et aux yeux exorbités coupe court à notre conversation. Il s'approche de nous, en proie à une profonde agitation. La réceptionniste rompt alors le silence religieux des lieux en s'écriant :

— *Haramiiii ! Haramiiii !*

Je hurle à mon tour à pleins poumons « Au voleur ! » dans l'espoir d'obtenir l'aide d'éventuels francophones présents. Nul besoin, cependant, d'alerter des étrangers, la réaction des alexandrins vaut son pesant d'or ! Comme une nuée de guêpes, ils se précipitent sur l'antiquaire, qui à bout de forces, se laisse emporter par cet essaim humain.

Épuisé par ma course et les émotions fortes, je m'affale sur la première chaise disponible. Quelle aventure ! La police va sans doute arriver pour arrêter le malfaiteur, mais je me demande si les événements ont bien tourné, en mon absence, dans le magasin quitté à la hâte. J'espère que tout le monde va bien.

CHAPITRE 16

Un heureux dénouement

Nous voilà tous réunis chez la maman de Carole, après y être parvenus de différente manière. Max, sa fiancée et Freddy y ont été conduits par Ali. Madame Violette a aussitôt prévenu mes parents et grand-mère, qui ont pris le premier taxi pour les rejoindre. Quant à moi, l'inspecteur Hassan m'a reconduit chez notre hôtesse. Passé le choc initial de me voir ainsi accompagné, tout le monde a poussé un soupir de soulagement.

Attablés, cette fois-ci, autour d'une excellente *konefa** commandée par la maîtresse de maison, j'ai encore une fois une pensée pour mon ami Marc ; il déborderait certainement de joie s'il avait la chance de savourer cette délicieuse pâtisserie. En ce qui nous concerne, sans doute sous l'effet de la quantité de sucre contenue dans ce

---

* Pâtisserie faite de cheveux d'ange et de crème.

dessert typique, nous frôlons l'euphorie. Nous savourons le bonheur de nous retrouver après tant d'émotions vécues.

— Quel soulagement de te voir saine et sauve, ma fille, soupire madame Violette.

— Moi aussi, maman. Heureusement, mon vaillant fiancé m'a secourue, lance Carole en souriant et en enlaçant Max. Sans lui, Dieu seul sait où je serais.

— Je dois reconnaître votre ténacité exemplaire, avoue la vieille dame. Considérez-vous maintenant comme mon fils.

— Hum, hum... fait Freddy en se raclant la gorge.

— Mon deuxième fils, précise madame Violette avec un large sourire.

— En tout cas, reprend Carole, j'en connais un qui est non seulement soulagé de m'avoir retrouvée, mais aussi heureux de savoir le manuscrit en lieu sûr.

— Oh, oui, dis-je. Avez-vous vu l'empressement d'Ali à retourner à la bibliothèque dès qu'il a appris que j'avais réussi à sauver l'ouvrage ?

— Dans sa précipitation, il a failli tout emporter sur son passage, moi y compris ! déclare grand-mère en m'adressant un sourire.

J'observe la fiancée de Max. Elle a un charme peu commun, avec ses longs cheveux noirs et ses yeux d'un vert perçant. Je comprends maintenant un peu mieux la fascination de mon oncle. Je me demande pourquoi elle a attendu si longtemps pour se marier... De nombreux prétendants ont sûrement dû demander sa main. Sa personnalité en a peut-être découragé plus d'un. Je la connais peu, mais le journaliste Naguib Salem l'a décrite comme étant une personne impétueuse et têtue. Néanmoins, dans cette aventure, ses traits de caractère se sont révélés utiles. Ils lui ont permis de résister le plus longtemps possible aux demandes du collectionneur. Mon oncle interrompt mes pensées :

— J'aimerais quand même savoir comment on a réussi à te kidnapper.

— Et moi, ce qui s'est passé dans l'arrière-boutique quand je dérobais le manuscrit.

— Pas tous à la fois ! s'exclame Carole.

— Vous devriez commencer par le début, mademoiselle, suggère l'inspecteur Hassan.

Jusqu'à présent très discret, l'homme pose l'assiette dans laquelle madame Violette lui a servi son morceau de dessert. Il sort son calepin.

— Je pourrais ainsi prendre des notes pour mon rapport, explique l'agent.

La fiancée de Max se lance alors dans une explication détaillée :

— Lorsque j'ai découvert le manuscrit, j'ai tout de suite compris qu'il me faudrait du temps pour l'étudier. J'ai décidé de parler de cette découverte uniquement à monsieur Ali. Je voulais éviter que les rumeurs se propagent et suscitent l'intérêt de personnes douteuses. Malheureusement, la nouvelle s'est répandue comme une traînée de poudre et j'ai aussitôt reçu des menaces. J'ai craint la disparition définitive de l'ouvrage si je le laissais à la bibliothèque. J'ai donc imploré le directeur de me le confier pour le mettre à l'abri. Veuillez noter cela, monsieur Hassan ; la faute m'incombe. J'ai réussi à convaincre mon patron de transgresser le règlement afin de mettre ses autres employés à l'abri et ainsi rendre un service à l'humanité.

— Je vois. Vous devez avoir un très fort pouvoir de conviction, déclare l'inspecteur avec un léger sourire. Cette erreur lui sera sans doute pardonnée, car, après tout, il a agi dans l'intérêt de tous.

— Il a même insisté pour qu'un agent de sécurité soit mis à ma disposition, mais le temps a manqué.

— Je comprends, note le policier. Mais dites-moi, comment expliquez-vous que la nouvelle de la découverte du manuscrit se soit répandue aussi rapidement ?

— Je me rappelle avoir parlé à monsieur Ali au téléphone dans la limousine. Sans doute Ralph a-t-il vendu la mèche.

— Revenons maintenant sur les circonstances de votre enlèvement, poursuit monsieur Hassan.

— J'ai malheureusement peu de détails à vous fournir. À ma sortie de l'église, j'ai marché en direction de la corniche. Dans une des rues étroites, une vieille dame m'a demandé l'heure. J'ai regardé ma montre pour répondre à sa requête. J'ai alors senti un bras puissant, celui d'un homme, me couvrir le nez d'un mouchoir à l'odeur désagréable : du chloroforme sans doute. À bien y penser, il devait s'agir du collectionneur déguisé en femme. On m'a retenue dans ma chute et on m'a fait monter à bord d'un véhicule, puis j'ai perdu mes esprits.

— Et vous n'aviez pas le manuscrit sur vous ?

— Non, à l'insu de Ralph, je l'avais caché dans la boîte à gants de la limousine en attendant de trouver un lieu plus sûr.

— Vous souvenez-vous d'autre chose ?

— Seulement de mon réveil, dans une arrière-boutique humide et lugubre.

— Pauvre toi, s'exclame Max. Tu tremblais de froid quand Freddy et moi avons délié tes liens.

— Mes mains étaient tout engourdies.

— Je suppose qu'Ali et toi avez manqué cette scène émouvante, me dit le frère de Carole sur un ton légèrement moqueur.

— Effectivement, je me concentrais sur le manuscrit tandis que le directeur de la bibliothèque se précipitait sur Ralph. Au fait, a-t-il réussi à maîtriser le chauffeur ?

— Oui, jeune homme. Il nous a appelés à ce moment-là, précise le policier. Nous avons aussitôt envoyé plusieurs voitures de patrouille à ta recherche, mais nous ignorions vers où tu t'étais dirigé.

Compatissant, je demande :

— Que va-t-il arriver à Ralph ?

— L'enquête va se poursuivre pour déterminer son degré d'implication dans toute cette histoire.

— À mon avis, affirme Carole, le collectionneur a la plus grande part de responsabilité dans cette affaire. Il a manigancé l'enlèvement tout seul ; mon chauffeur a malheureusement saisi l'occasion de régler les ennuis financiers de sa sœur.

— Carole a raison, ajoute Max. Ralph a dû s'apercevoir au fil des rencontres avec les différents suspects de la grande valeur du manuscrit. Il a pensé qu'il pourrait en tirer profit.

— Je me demande cependant pourquoi il nous a mis sur la piste de l'église, pense Freddy tout haut.

— Certainement voulait-il que nous perdions notre temps à soupçonner Salvatore Natale ou Ali ou d'autres encore. Cela lui donnait plus de temps pour faire monter les enchères et échanger le manuscrit à un prix élevé, expliqué-je.

— Tu as raison, dit mon ami pour m'appuyer. Te souviens-tu de notre conversation avec ce monsieur tout de noir vêtu ? Il lui a demandé s'il avait trouvé des renseignements dans les manuscrits de la bibliothèque du monastère. Il avait sans doute peur que l'ouvrage de Carole ait moins de valeur d'échange s'il n'était pas unique.

— Quelle triste histoire, vraiment, soupire madame Violette. Je croyais bien connaître mon employé, et pourtant...

— Que va devenir sa sœur ? demande maman, inquiète.

— Malheureusement, madame, affirme le policier, Ralph passera probablement du temps en prison. Sa sœur se retrouvera encore plus démunie sans le salaire de son frère.

— À moins que... dit Carole en réfléchissant. J'ai un peu pitié de cette fille, fort gentille d'ailleurs. Je l'ai rencontrée à quelques reprises. Nous pourrions l'aider financièrement. Mon chauffeur a commis une erreur, mais elle...

— Je te reconnais bien là, affirme la maîtresse de maison. Une générosité à toute épreuve...

— J'espère que tu ne vas pas accueillir à la maison toutes les âmes égarées une fois que nous serons au Canada, plaisante mon oncle. Nous risquons de nous sentir à l'étroit chez nous !

— Moi, je voudrais bien en apprendre davantage sur le collectionneur fou qui était aux trousses de mon fils, interrompt papa.

— Il a un casier judiciaire vierge, rapporte l'agent. Le désir de posséder le manuscrit a dû faire perdre la raison à cet homme en apparence ordinaire. Comment expliquer autrement ses actions ?

— Vous auriez dû voir le regard effrayant de l'antiquaire à ma poursuite : on aurait dit un zombie !

— Mais pourquoi a-t-il caché Carole dans son magasin d'antiquités ? s'enquiert grand-mère. Il s'exposait à une filature éventuelle.

— Détrompez-vous, madame, répond l'inspecteur. D'après mes informations, cette boutique appartient à quelqu'un d'autre. L'introduction par infraction dans une propriété sera ajoutée à sa longue liste de méfaits !

— Cet homme avait tout prévu pour éviter d'être démasqué. Il m'avait même bandé les yeux. J'ignorais à qui j'avais affaire, s'exclame Carole.

— Et puis, il devait te libérer sans que tu aperçoives Ralph, ajouté-je.

— Ce sera tout, déclare monsieur Hassan. J'ai pris suffisamment de notes pour ce soir. Je vais vous laisser finir tranquillement votre soirée. Je vous remercie de votre collaboration à tous.

— De rien, répondons-nous d'une seule voix.

— Et toi, mon garçon, me dit-il en me serrant la main, je te félicite pour ton courage exemplaire. Sans toi, nous aurions peut-être perdu le manuscrit à tout jamais. Quant à vous, mademoiselle, j'espère que vous épouserez monsieur Max sans plus tarder. J'ai rarement vu un homme aussi tenace !

— Venez, je vous raccompagne, propose madame Violette.

Monsieur Hassan marque une seconde d'hésitation.

— Un instant. En général, la curiosité est un vilain défaut, mais dans mon métier... Je me demande qui a eu assez de flair pour soupçonner Ralph.

Tous les regards se tournent vers Freddy. Ce dernier me fixe gêné. Je cligne des yeux. Mon ami comprend aussitôt qu'il vaut mieux passer pour un héros plutôt que de révéler mon don.

— À bien y réfléchir, dis le frère de Carole, suspecter mon chauffeur paraissait logique. Il était la seule personne dans mon entourage au mobile sérieux : l'argent.

— Ton sens de l'analyse te conduiras peut-être un jour à travailler dans mon service de police, s'exclame l'inspecteur un peu sarcastique. Tu feras sans doute équipe avec Étienne. Il me semble très perspicace lui aussi...

Son regard pénétrant me trouble légèrement, mais je me rassure en pensant que mon secret demeure tout de même intact.

Une fois le policier sorti de la pièce, je pose la question qui intrigue toutes les personnes présentes :

— Carole, et si tu nous disais enfin ce que renferme ce mystérieux manuscrit ?

— Petit curieux ! Tu vas devoir attendre un peu. Je dois vraiment l'étudier en profondeur pour tirer des conclusions sur la cause de la disparition de la bibliothèque d'Alexandrie.

— Mais nous serons les premiers à la savoir ? demande Freddy.

— Bien entendu, je vous dois au moins ça, affirme Carole en souriant.

CHAPITRE 17

Épilogue

Une musique entraînante, sortie tout droit des *Mille et Une Nuits*, résonne dans la salle. Au milieu d'un nuage de foulards apparaît alors une jeune fille aux yeux de chat. Aussitôt, les spectateurs l'acclament en scandant son nom. Dinah remue son ventre et se déplace avec une grâce irréelle, puis pivote sur elle-même à en donner le tournis. Je prends la célèbre danseuse en photo pour partager ce souvenir avec mes amis lorsque je serai à la maison. Je vais en avoir, des histoires à leur raconter ! Maintenant, Charles saura que, cet après-midi même, mon oncle a épousé une fille célèbre, pas la première venue par pur désespoir, comme mon ami l'a insinué. Ma nouvelle tante a en effet défrayé la chronique à la suite de la découverte du très ancien manuscrit. Grâce à ce coup de publicité, Ali, le directeur de la bibliothèque, a reçu des fonds supplémentaires pour la section de restauration du Centre des manuscrits. Dans les jours suivants, l'enthousiasme collectif a cependant décru. Après une étude approfondie du fameux manuscrit, le mystère n'est toutefois pas résolu. L'incendie de la bibliothèque incombe probablement à plus d'un coupable. Nombre de suspects montrés du doigt par les historiens ont contribué, de près ou de loin, à la destruction des volumes. Mais sans doute les nombreuses années écoulées ont-elles été le plus grand ennemi de cette collection d'exemplaires uniques, car rien ne résiste au temps. Autre erreur magistrale, m'a soufflé Carole, la concentration des ouvrages en un seul endroit. Il aurait peut-être mieux valu qu'ils soient dispersés aux quatre coins du monde. Quelques-uns auraient alors pu traverser les siècles. Grand-mère, de son côté, s'inquiète plutôt de la nouvelle bibliothèque : les Alexandrins ne retombent-ils pas de nouveau dans la même erreur ? Max, pour sa part, tient tous ces illuminés, à la recherche d'un manuscrit finalement fort décevant, responsables du retard de son mariage. De l'avis de maman, toute cette affaire prouve encore une fois la tendance des gens à toujours caresser des chimères. En ce qui me concerne, je me dis que c'est beau de rêver ! Je me vois déjà dans la cour de récréation, montrant à mes amis comment jouer au soccer ; et je les convaincrai bien, avec Freddy, qui ne manquera pas de nous rendre visite, que ce jeu vaut bien le hockey !

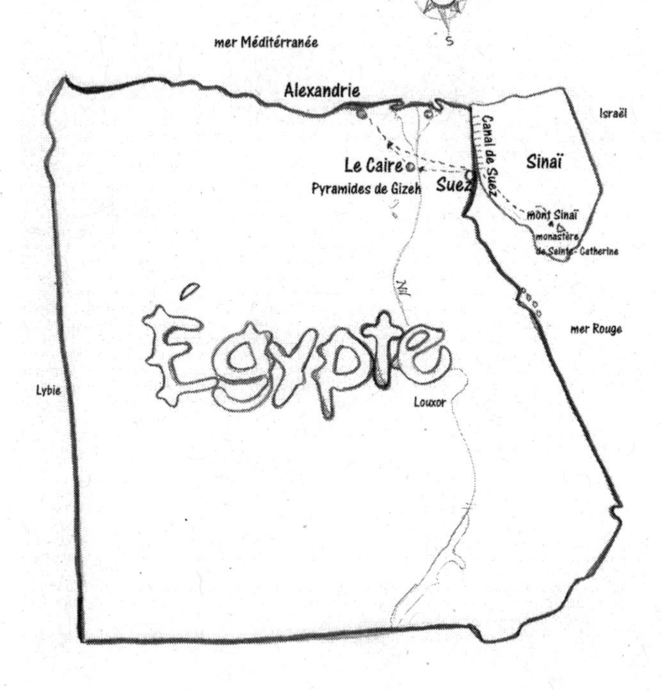
N
O
E
S
mer Méditérranée
Alexandrie
Israël
Canal de Suez
Sinaï
Le Caire
Pyramides de Gizeh
Suez
mont Sinaï
monastère
de Sainte- Catherine
Nil
Égypte
mer Rouge
Lybie
Louxor

TABLE DES MATIÈRES

Sandrine Julien

Née à Barcelone en Espagne de parents français, Sandrine Julien a été très tôt aux prises avec une double identité qui lui permettra de voir les choses qui l'entourent sous deux facettes différentes ; cette particularité devient le fondement de son style d'écriture. Traductrice et grande voyageuse, elle s'amuse maintenant à cheminer dans la tête des personnages qu'elle invente. Elle poursuit sa carrière de traductrice à la pige tout en se consacrant à l'écriture. Son but : démontrer dans ses écrits que le rêve n'est jamais trop loin de la réalité !

www.sandrinejulien.net

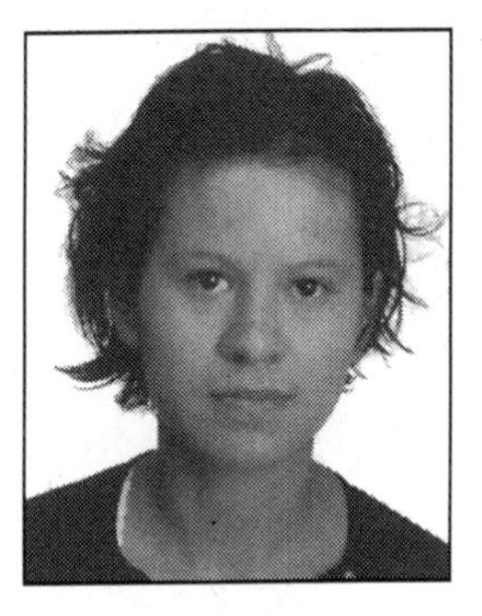

Guadalupe Trejo

Artiste multidisciplinaire, Guadalupe a toujours été fascinée par l'imaginaire des enfants. Montréalaise d'origine mexicaine, elle travaille depuis plusieurs années dans le milieu de la communication graphique à Montréal et à Mexico. Elle enseigne aussi la photographie aux adolescents.

Fière de faire partie de la tribu du Phoenix, et de conserver le contact avec les jeunes, elle présente des illustrations à chaque fois renouvelées.

Achevé d'imprimer en août 2010
sur les presses de l'imprimerie Gauvin,
Gatineau, Québec